けんごの小説紹介

読書の沼に引きずり込む88冊

けんご
小説紹介クリエイター

KADOKAWA

はじめに

僕が初めて小説を読んだのは、大学に入学したばかりの頃です。最初の一冊は、本書でも後にご紹介する、『白夜行』（東野圭吾著）でした。あのときの衝撃と感動は忘れられません。続きが気になって仕方ない、ページをめくる手が止まらない、だけど終わりは名残惜しい――。それまでの人生において、味わったことのない感情になりました。それから数々の小説を読んでいくうちに、すっかり「読書の沼」へと引きずり込まれてしまったのです。

そんな「読書の沼」にどっぷりハマった僕は、現在ＹｏｕＴｕｂｅやＴｉｋＴｏｋ、Ｉｎｓｔａｇｒａｍなどを通して、小説を紹介する活動をしています。小説を読んだことがない人には読書のきっかけを、小説が好きな方には新たな物語との出会いのきっかけを、僕にしかできない紹介を通して作る活動です。

心を揺さぶるほどの素晴らしい物語があったとしても、その存在を知られなければ、読まれることもありません。それは著名な小説家が書いた物語であろうと、新人作家が書いた物語であろうと、全く関係ありません。きっかけがなければ、その一冊が手に取られることはないのです。

僕は「いまさら」という言葉を危険視しています。まれに、「いまさらこんなに有名な作品を紹介したところで……」というようなコメントが届きますが、それを読んで、もったいない考え方だなあ、と思います。どれだけ売れている小説でも、どれだけ読み継がれている古典でも、世の中には読んでいない人の方が圧倒的に多いからです。

僕は『白夜行』と出会うまで、小説を自発的に読んだことがありませんでした。きっと僕のような人は、少なくないと思います。加えて、ＳＮＳなどの普及により、娯楽が飽和して「読書離れ」が囁かれている現代社会です。これから先、その傾向はより加速していくのかもしれません。「いまさら」という言葉を使うことは、読書への入り口を狭めてしまうことに繋がりかねないのです。

良い小説は、時代が変わろうと、ずっと読み継がれるものです。その証拠に、百年以上前に発表された、名だたる文豪たちの書いた小説は、今もなお愛され続けています。

十万部を突破している作品が偉大であることを理解した上で主張します。僕は、これほどまでに素晴らしい作品が、たったの十万部で止まっているのか……と思ってしまう人間です。もちろん、僕の考え方は浅はかなものであり、甘いということはわかっています。それでも、悔しい気持ちが溢れて止まらないのです。この物語は、もっと多くの人に届いてもいいはずなのに、と思ってしまうのです。

僕には、立派な書評を書くことはできません。読書歴も十年に満たないものです。これまで読んできた冊数だって、古くからの読書家の方々に比べたら、遠く及びません。それでも、小説が好きだという事実は変わりません。文章だけで紡ぎ出される物語を、こよなく愛しています。そして、好きな小説を紹介することだけは得意だと自負しています。

だからこそ、僕は小説の紹介を続けています。本書も、ただただ小説の魅力を伝えたい一心で執筆しました。

本書で紹介する88冊は、僕のお気に入りだということを前提に、ジャンルを問わず幅広く選書しています。強いてコンセプトを挙げるのであれば、「多種多様」な小説紹介です。

紹介している作品の中には、思わず涙が溢れてしまう物語もあれば、戦慄が走るほどのホラー作品もあります。百年以上前に発表された古典もあれば、近年刊行されたばかりの新刊もあります。栄誉ある賞を受賞した作品もあれば、新人作家のデビュー作もあります。特定のジャンルに絞ることはせずに、幅広くさまざまな小説を紹介しているのには理由があります。読者の方に、本書を通して「新しい読書体験」を味わっていただきたいからです。

同じようなジャンルの作品を好んで、集中的に楽しむ読書も非常に素敵だと思います。僕自身もSNS活動を始める前は、読む作品にかなりの偏りがありました。しかし、それは少しだけもったいないことでもあったな、とも思うのです。「食わず嫌い」という言葉がありますが、読んだことがないだけで、実は自分好みだった、ということも十分あり得ます。まだ気づいていないだけで、胸の内に眠っている「自分の好み」があってもおかしくないのです。

だからこそ本書では、数多(あまた)の小説の中から、多種多様な88冊を選んで紹介しています。僕自身も、さまざまな作品を読むことで、新たな気づきを繰り返してきました。本書で紹介している作品をきっかけに、読書の幅を広げてもらえることができるなら、それは僕にとって幸せなことです。

僕の小説紹介が、次の読書のきっかけになりますように。

あなたにとって、大切な一冊が見つかりますように。

「読書の沼」へと、ぜひお入りください。

CONTENTS

第2章

背筋が凍る物語
―恐怖の読書体験をしたい方へ―

第3章 言葉を失う物語 ―衝撃的な読書体験をしたい方へ―

第4章 脳裏に焼きつく物語 ―大切なことを学べる読書体験をしたい方へ― 177

第5章 魂が揺さぶられる物語 ―やる気がみなぎる読書体験をしたい方へ―

ブックデザイン―アルビレオ
イラスト―tama5
校正―鷗来堂
DTP―アーティザンカンパニー
編集協力―稲田和瑛
編集―金城麻紀

第1章

胸が締めつけられる物語

―余韻が残る読書体験をしたい方へ―

01

妻を失ったシングルファザーが歩む、娘との十年間

『ステップ』――重松清（中公文庫）

読んでいる間に、何度も涙を流してしまった小説です。

国語の教科書のために書き下ろされた『カレーライス』などを通して重松清さんを知ったという方も、少なくないと思います。

重松清さんは、「涙腺キラー」の異名をもつ小説家です。第124回直木賞受賞作『ビタミンF』を筆頭に、〝泣ける〟ヒューマンドラマを数多く発表されています。

そんな重松清さんの小説の中でも、僕の心に一番残っている作品が、今回ご紹介する『ステップ』です。フィクションなのですが、まるで実在する誰かの人生を切り取ったかのように緻密で、限りなくリアルに近い物語です。

結婚三年目に、最愛の妻・朋子を亡くした三十歳の武田健一。彼に残されたのは、

まだ一歳半の幼い娘・美紀でした。朋子が亡くなろうと、日常は待ってくれません。幼い子の育児は大変で、妻との別れを悲しむ暇さえ与えてくれないのです。健一には美紀とともに、これからの人生と向き合う必要がありました。

健一は亡くなった朋子の分まで、美紀に精一杯の愛情を注ぎ、幸せにすることを誓います。

しかし父娘の生活は、一筋縄にはいきません。まだ幼い美紀の子育ては手がかかり、悪戦苦闘する日々が続くのです。義理の両親が協力してはくれるものの、娘を育てるためには、さまざまな妥協が必要でした。例えば、仕事です。もともと営業マンとして働いていた健一ですが、今の部署はそれほど融通が利きません。会社側の配慮もあり、健一は総務部へと異動します。

健一の努力の甲斐もあり、美紀は、すくすくと成長していきました。言葉を理解し、自我が芽生え、物心がついてきます。ただ、周りの友だちには両親がいるのに、美紀には父親しかいません。「気にすることないよ」と周囲は思うかもしれませんが、当事者が気にしてしまうのは当然のことであり、コンプレックスにもなりうることです。

そんな苦しみも我慢も、なにもかもを背負って、残された立場である健一と美紀は、懸命に生きていきます。

物語の転機には、人との出会いがあります。朋子と死別した時点では、まだ三十歳だった健一には、再婚の可能性だって十分にありました。それでも、彼は朋子のことを思い続けるのです。しかし、ある一人の女性と出会うことで、健一の心境は徐々に変化しはじめて――。

これはシングルファザーの健一が、人生に右往左往しながらも走り続け、美紀が小学校を卒業するまでの、十年間を描いた親子の物語です。

後半にかけての「家族」の在り方を深掘りしていく展開には、特に胸を打たれました。誰一人として嫌な登場人物はおらず、悲しくも幸せな気持ちで読み続けられる小説は、なかなかありません。

何気ない日常を描いた物語は、ともすれば単調になってしまいがちです。しかし、淡々と、そしてじんわりと心の中に入り込み、ついには物語へと引き込まれてしまう――そんな読書体験を味わえるのは、重松清さんの小説ならではです。

この先、どうか美紀に幸せになってほしい、どうか健一に幸せになってほしい。そう心から願わずにはいられない、愛の物語です。

02

落ち込むほど強く感情移入してしまう、夢追人の物語

『劇場』――又吉直樹（新潮文庫）

又吉直樹さんは、芸人として活躍しながらも、処女作である『火花』が第153回芥川賞を受賞したことで大きな話題を呼びました。同作は累計発行部数三百万部を超える大ベストセラーとなり、芸人としてだけでなく、作家としても才能を遺憾なく発揮されています。

読書家としても知られる又吉さんは、特に近代文学を好んで読むことが多かったと、ポッドキャストの番組でおっしゃっていました。中でも特に、太宰治作品を読まれているようです。本に関する情報サイト「好書好日」のインタビュー記事には、「『人間失格』を読んだら、大庭葉蔵の幼少期の描かれ方が、自分とすごく重なった」と書いてあります。それが影響しているのかはわかりませんが、今回ご紹介する『劇場』を読んだとき、僕はどこか『人間失格』と似た雰囲気を感じとりました。

どうしてでしょうか。いい加減でだらしなく、自分とは全く違う人生を送る男に、感情移入が止まらなくなった小説です。

主人公の永田（ながた）は高校卒業後、大阪から上京し、「おろか」という劇団を旗揚げします。しかし、客足は鈍く、公演は酷評の嵐で、さらには劇団員にも見放されてしまい、理想とはかけ離れた生活を送っていました。アルバイトでなんとか食い繋ぐ日々が続きます。そんな永田に、運命的で悲劇的な出会いが訪れるのです。

永田は、通り道で偶然画廊を見つけます。窓から中を覗いてみると、たくさんの絵画が展示されていました。どれも一目で、子どもが描いたものだとわかる絵画で、永田は目を奪われます。そのとき、永田はふと、自分の他にも画廊をのぞきこむ女性がいることに気づくのです。そしてなぜか、この人なら、自分のことを理解してくれるのではないか、と思います。あまりにも上手く進まない人生に、悩みすぎていたのかもしれません。彼女は、永田の視線に気がつき、明らかに困惑した様子を見せました。

「靴、同じやな」

永田は、ほとんど無意識のうちに声をかけました。さらには、「あした、遊べる？」と、突拍子もなく彼女を誘うのです。これが沙希（さき）との出会いでした。出会った当時、大学生だった沙希も永田と同じように、夢をもって上京してきた身です。その後、沙希は金のない永田に同情したのか、カフェ代をおごってくれました。

　不思議な出会い方をした二人ですが、次第に親密な関係へと進展していきます。いつしか永田は、沙希の家へ転がり込むようになりました。どうしようもない自分の才能を、一心に信じてくれる沙希の笑顔だけが、永田の救いだったのです。

　しかし、依然として永田のままならない負の生活は続きます。そして、その生活に沙希までも飲み込まれていくのです。尽くしてくれる沙希と、尽くしてもらってばかりの永田。物語の行く末は、胸が締め付けられるもので——。


　夢を追うのは素敵なことです。しかし、時にそれが足枷(あしかせ)となり、また、人を巻き込む可能性さえあることを、『劇場』から学びました。僕が永田に感情移入できたのは、大学生の頃に何者でもなかった自分が嫌で、何かを成し遂げようと必死にもがいていたことを思い出したからです。

　物語が進むにつれて、心拍数が上がっていきました。落ち込むほどに感情移入をしましたが、読後に残った確かな感動は、僕にとってかけがえのないものになっています。

03

すべてを喪失した男女の物語

『ばかもの』――絲山秋子(いとやまあきこ)(河出文庫)

「依存」という言葉を、そのまま物語にしたような小説です。また、性的な描写が目立つ作品であることを、先にお伝えしておきます。

恋愛小説の場合、登場人物の心情を繊細に描写し、人物像を掘り下げていく作品が多い気がします。しかし、この小説はその逆です。ドライで淡々と描かれていきます。それがかえって、絶妙な空気感を漂わせているのです。登場人物も物語も浮世離れしているし、決して明るい作品とはいえません。しかし、なぜか読後感が心地よい、不思議な小説です。

どこまで書くとネタバレになるのか判断の難しい作品なので、文庫版の裏表紙に掲載されたあらすじの範疇(はんちゅう)でご紹介します。ある程度ストーリーラインを知っていても、というか、結末を知っていたとしても、十分に楽しめる小説だと思います。

下着を膝まで下ろされ、公園の隅に立っている、ヒデという青年がいました。大学生のヒデは、木の後ろに両腕をまわされ、ベルトで縛られています。もちろん身動きは取れません。どうしてヒデはこんな場所で、不様な格好をしているのでしょうか。

ヒデは、付き合っていた年上の女性、額子（がくこ）に振られてしまったのです。「家ではなく外でしよう」という話になり、行為の一環として、ヒデはベルトで縛られました。そして、振られたのです。

「結婚するんだ、私」

そう言い残して、額子は去りました。ヒデは放置されたのです。

物語はこのような突拍子もない展開から始まります。

それから時は流れ、ヒデは額子と別れた後、無事に大学を卒業して就職をしました。しかしヒデは、重度のアルコール依存に陥り、仕事も人間関係も崩壊させていきます。日常生活すらもまともに送ることができません。以降、周囲から孤立し、ただただ酒を飲むばかりのだらしない生活を続けるようになってしまったのです。

さらに年月が経ち、すっかり堕落した生活が板についてしまったヒデは、ふとある噂を耳にします。かつて、無情な形で別れを告げてきた額子が、不慮の事故に遭い、身体の一部が欠損するほどの大怪我を負ったというのです。

それから、とあることをきっかけに二人は再会することとなるのですが……。

これは、すべてを喪失した男女の物語です。この物語には、さまざまな「依存」が描かれています。人間は脆くて弱い生き物であることを、とことん突き付けられました。淡々とした語り口でありながら、かなり深いところまで抉られる小説です。自分の弱さとじっくり向き合う、貴重な読書体験になることでしょう。

04

暴走した愛が止まらない、真っ黒な青春恋愛小説

『ひらいて』――綿矢りさ（新潮文庫）

第130回芥川賞を『蹴りたい背中』で受賞した綿矢りささん。十九歳という若さでの受賞は、芥川賞の最年少記録となっています。当時二十歳の金原ひとみさんも『蛇にピアス』で同時に受賞したことにより、世間でも大きな話題となりました。なお、『蹴りたい背中』は、この年のうちにミリオンセラーを達成しています。

僕は、綿矢さんの新刊が出れば必ず読んでいるのですが、最も好きな小説が、今回ご紹介する作品です。

2021年に山田杏奈さん主演で映画化もされている『ひらいて』は、心が火傷をしてしまうほどの、エキセントリックな恋愛小説です。心からの敬意を込めて〝真っ黒な青春小説〟とご紹介させてください。

自分の可愛さを自覚し、多くの男子から好意を持たれている女子高生の木村愛。愛は、これまで多くの男子を落としてきました。そんな彼女が心惹かれた相手は、どこか悲しい目をしている地味な男子生徒、西村たとえです。

愛は持ち前のルックスを活かして、さまざまなアピールを試みますが、たとえは一向に振り向いてくれません。その理由は、明白なものでした。実は、たとえは、クラスメイトの美雪と、五年も交際を続けていたのです。

美雪は糖尿病を患っており、一日三回インスリンの注射を打たなければなりません。病気のことも関係しているのか、学校では孤立していました。そんな状況ではありながらも、たとえと美雪の二人は穏やかに、ピュアな関係を続けていたのです。

たとえと美雪は、交際していることを隠していました。では、なぜ愛が二人の関係を知ることができたのでしょうか。

愛は、自分に振り向いてくれないたとえに腹を立てていました。それと同時に、何かあるのではないか、とも感じていました。そして、夜の学校に忍び込んで、たとえの机の中を漁ってみることにしたのです。そこで愛は、美雪からの手紙を見つけ、二人の関係を知ることになります。

このことが原因となり、愛の心には火がつきました。たとえと美雪の静かで穏やかな恋愛を、どうしても理解できなかったのです。

この時点で愛の思考がただの恋愛感情ではなく、ほとんど執着に変化していることは読み取れると思います。しかし、問題はここからなのです。

どれだけアピールをしても振り向いてくれないたとえを振り向かせるために、愛がとった予想外の行動は——と物語は続いていきます。


新潮文庫で本文が183ページという、短い小説です。にもかかわらず、真っ黒な青春を鮮烈に描いたこの小説は、読後に深くため息をついてしまうほどで、いつもの読書以上に体力を奪われました。一文一文が刃物のように鋭く、気軽には触れられないようなものだったのです。

ラストシーンも意味深いもので、人によってさまざまな解釈ができると思います。

皆さんが『ひらいて』というタイトルに何を思うのか、楽しみです。

05

思い通りにいかないからこそ、人生は辛いし、面白いのかもしれない

『明け方の若者たち』――カツセマサヒコ（幻冬舎文庫）

「ごめん、携帯なくしちゃったみたいで。番号言うから、かけてくれない？」

大学生の「僕」は、早々に内定を決めた者だけが参加できる「勝ち組飲み」なるイベントに参加していました。華やかで自己肯定感の高い学生ばかりが集まるその会に、「僕」はどこか息苦しさを覚えます。参加者は総勢十四名。「僕」にとってはあまり魅力的とは思えない面々の中に、ただ一人だけ、惹かれる女性がいました。主催者の男の話を、退屈そうに聞いている女性です。彼女はイヤリングの似合うショートヘアで、モデルのような華やかさはないけれど愛嬌がありました。

完全に、「僕」の好みのタイプでした。

どうやら彼女は、この窮屈な飲み会から抜け出そうとしているようでした。そのこ

とに、「勝ち組」たちは誰も気づきません。彼女がそのまま帰ってしまうかと思われたそのとき、彼女は「僕」の近くで立ち止まり、何かを探すような仕草をします。どうやらスマートフォンをなくしたようなのです。そこで彼女は、番号を言うから、電話をかけてほしいと「僕」に頼みました。彼女の言った番号に電話をかけると、スマートフォンは彼女のポケットから見つかりました。「いやいや、探すの、下手すぎじゃない？」と冗談を交わしつつも、会話はあっという間に終わり、彼女は帰っていきます。その後もつまらない飲み会は続き、いっそ自分も帰ってしまおうかと思ったときのことです。

「私と飲んだ方が、楽しいかもよ笑？」

先ほどかけた彼女の電話番号から、十六文字のメッセージが入っていたのです。

これが「僕」と彼女の出会いでした。儚く切ない、最初の出会いでした。

「僕」は、恋に落ちました。飲み会の夜を境に、次第に二人で過ごす時間が増えていきます。社会人になってからの理想と現実のギャップに苦しみながらも、彼女だけが心の支えとなってくれて、ずっと幸せな日々が続いていく――はずだったのに。

作中では、二十代の若者が社会の厳しさに苦しみながらも懸命にもがく姿と、どうしようもない現実に挫折してしまう姿が描かれます。「人生、こんなはずじゃなかった」と一度でも思ったことがある方なら、きっとこの物語に共感を覚えるはずです。年代関係なくおすすめできる小説ですが、特に二十代の方、そしてティーンの方にも読んでほしいと思います。

この紹介文を書くにあたり、『明け方の若者たち』を再読しました。僕は、2024年（本書の初版刊行年）で、二十六歳になります。二十代というかけがえのない期間も、あと半分を切ってしまいました。早いものです。きっとあっと言う間に、三十歳を迎えるのでしょう。もっと幸せを噛みしめて、もっと挑戦して、ときには後悔もできるような二十代にしたいなと、改めて思いました。

06

大SNS時代にこそ共感を得るであろう恋愛小説

『生きてるだけで、愛。』――本谷有希子（新潮文庫）

『生きてるだけで、愛。』の初版発行は2006年で、現代のようにSNSが普及していなかった時代でした。当時から芥川賞や三島由紀夫賞の候補作として挙げられたり、後に映画化されたりと、非常に評価の高い小説です。

恋愛小説に分類される本作は、フィクションとは思えないほどリアルで、実在する誰かの生活を切り取ったような物語になっています。

二十五歳の主人公、寧子は、メンヘルです。双極性障害（躁鬱病）を患っており、さらに過眠症にも悩まされています。彼女の病は、目には見えません。心の病の影響から、無気力で不安定な精神状態が続き、寧子は一日のほとんどを寝床で過ごしていました。

そんな寧子には、三年ほど前から同棲している、津奈木という恋人がいます。津奈木は雑誌の編集者で、いつも仕事に追われています。

忙しく、なかなか家で過ごす時間が取れない津奈木。一方、働きもせず、毎日をだらだら過ごすだけの寧子。

寧子だって、好きで自堕落な生活を送っているわけではありません。しかし、心の病によって、このような生活を送ることしかできない状況に陥っているのです。

とはいえ、世間の目にはそう映りません。症状が目に見えてわかる病だったら、周囲の理解も得られたはずなのに。寧子の苦しみは、寧子自身にしかわからないのです。

物語は、寧子の目線で、さまざまな苦しみや葛藤を交えながら、津奈木と関わっていく様子が描かれています。

双極性障害の女の子が主人公と聞くと、暗い物語なのかと思うかもしれませんが、身構える必要はありません。少々狂気的で極端な考え方をする寧子の語り口が、なぜか心地よく、ぐいぐい読み進めることができます。

作品自体は非常に楽しめたのですが、正直に言うと、寧子への共感はほとんどできませんでした。これは、僕の心が疲れていないからかもしれません。そんな僕でも、この小説を読んだことで、精神的な病の壮絶さ、病に苦しむ方の苦悩を垣間見ることができました。多少なりとも理解を深められたような気がします。

さまざまな情報が溢れかえり、必要以上に情報が目に入ってきて、ときには気が滅入ってしまうSNS時代に、ぴったりな小説ではないでしょうか。「負の感情」にフォーカスした物語ではありますが、この小説を読むことでむしろ心が軽くなる、そんな人もきっといるはずです。

それにしても、『生きてるだけで、愛。』というタイトルは秀逸です。

07

人生を賭けて愛し合う女性同士の大恋愛

『白い薔薇の淵まで』——中山可穂（河出文庫）

女性同士の恋愛を表す言葉に「百合」があります。百合やBL（ボーイズ・ラブ、男性同士の恋愛）は、漫画や小説の人気ジャンルとして定着しており、近年では専用コーナーが展開されている書店も激増しました。

今回ご紹介する小説『白い薔薇の淵まで』は、女性同士が愛し合う物語です。この小説をジャンル分けするなら、百合小説に分類されるのかもしれません。実際、作品紹介の記事やWebで公開されている感想を見ても、多くの方が百合小説だと述べています。

しかし僕は、この小説を百合小説ではなく「ひたすら純愛が描かれた小説」としてご紹介します。本能のまま愛し合う二人の姿に強く惹かれ、恋愛に性別など関係ないと思えたからです。描き出される情景、登場人物の心の動きに魅了されました。一文字たりとも読み落としたくない。そう思いながら、大切に読み進めていった一冊です。

二十九歳のOL、川島とく子(かわしまとくこ)は、ある本を求めて、飲み会の帰りに書店へ立ち寄ります。無名の出版社から刊行されている、無名作家の新刊小説です。辛口で知られる評論家が珍しく褒めていたのを見て、とく子は興味を持ちました。

書店で本を見つけて手に取ったところ、200ページにも満たないのにもかかわらず、価格は2000円もします。飲み会の帰りで手持ちのお金が心許なかったこともあり、とく子は購入を断念することにしました。本を棚に戻したときに、突然、知らない女性から声をかけられます。

「その本、買わないんですか?」

「えっ? ……あ、いや……」

これが、運命を大きく左右する出会いとなるのです。とく子に声をかけたのは、山野辺塁(やまのべるい)という名の十九歳の少女です。とく子が手にした小説の著者でした。そして、とく子は塁に導かれるように、再び小説を手に取ります。

ここから二人の関係が進展するのに、長い時間を必要としませんでした。いつしか、塁はとく子のことを「クーチ」と呼ぶようになります。同性の友人としてではなく、二人は恋に落ちたのです。会うたびに互いを求め、愛しているからこそ傷つけ合う。お互いがお互いに抱く、すべての感情が本気でした。

物語の中で、二人の諍いやすれ違いは、幾度となく起こります。それでも、どうしてもあなたが好きだから離れられない――二人は何度ぶつかろうとも、どんなことがあろうともそう思ってしまうのです。歳の差も性別も立場も、二人にとって全く関係ありませんでした。

激しく濃厚な性描写が多いのに、どうしてでしょうか。少しもいやらしさを感じさせません。不快さが全くないのです。二人の感情が、文章から、行間から、息が苦しくなるほど伝わってきます。

余韻を残すラスト、そして、痺れるあとがき。一文字の無駄もない、これこそが究極の恋愛小説です。

08

究極の選択を迫られた夫婦の最後の決断

『ストーリー・セラー』――有川浩（幻冬舎文庫）

なんて切なくて残酷な設定を思いつくのだろう、これじゃ結末はきっと――。登場人物のことを思うと、著者の有川浩さんを憎まずにはいられなくなりました。それほどまでに、没入させられた小説です。

命に代えても好きなことを続けるか、生きるために好きなことを捨てるか。この二択を迫られたら、あなたはどちらを選びますか？

『ストーリー・セラー』は、とある幸せな夫婦を極限まで追い詰めた、ある病にまつわる物語です。その病名は、「致死性脳劣化症候群」。複雑な思考をすればするほど脳が劣化していき、最後には死に至る不治の病です。この病を患ってしまった以上、その先、生き続けるためには余計な思考を止めなければなりません。

主人公の二人は、同じデザイン事務所で働く同僚で、当初はさほど深い関係ではありませんでした。しかし、ある出来事をきっかけに二人の距離はグッと縮まります。

彼女は小説を書いていました。文学賞に応募するためではありません。大学の文芸部時代からずっと、純粋な趣味として小説を書いていたのです。

ある日、その小説を、偶然、同僚の男性に読まれてしまいます。彼女は、書くことが好きなだけで、自分の作品を誰かに読まれることを望んでいませんでした。それどころか、自分の書いた小説を読まれるなんて耐え難いとさえ感じています。恥ずかしくてたまらないのです。

そんな彼女の作品を勝手に読んだ彼はというと、その物語に心を打たれていました。それまで読んできたどの小説よりも、彼女の書いた物語が一番好きだと思うほどに、ひどく感動していたのです。自分が「書けない側」だからこそ、「書ける側」の彼女を尊敬し、一番のファンになりました。そして、その素晴らしい小説を書く彼女自身にも、強く惹かれていったのです。

彼は、本気で小説に取り組むよう、彼女にすすめます。その後まもなく二人は交際し、結婚にまで発展するのです。彼女は、彼のすすめで始めた本気の執筆活動が実を結び、晴れてデビューを果たします。そして後に、執筆依頼の止まらない人気作家となりました。

小説を通じて惹かれあい、幸せな人生を二人で築いていくはずだったのに——。

そんな矢先、彼女に、「致死性脳劣化症候群」という病が襲い掛かります。小説家は、この病と最も相性の悪い職業だといえます。複雑な思考ができなければ小説を書くことはできません。しかし、彼女が生き続けるためには、思考が許されないのです。

彼は思います。自分が小説を本気で書くことをすすめなければ、こんなことには——。

彼女は思います。自分の小説を最も愛してくれる一番のファンである彼に、もっと物語を届けたい——。

最後の決断には、思わず目頭が熱くなりました。

また、注目してほしいのが、この小説の構成です。後半に、挑戦的で胸が締め付けられる、もう一つの物語が待っています。それはまさに、「ストーリー・セラー（小説家）」なのです。

09

忘れることができない衝撃的な恋愛小説

『陽だまりの彼女』――越谷オサム（新潮文庫）

恋愛小説の読者が持つ肯定的な感想は、共感・ときめき・切なさ・喜び・憧れなどが大半を占めるのではないかと思います。

今回ご紹介する『陽だまりの彼女』にも、とある男女の幸せそうな日常が多々描かれており、読みながら他の恋愛小説と同様の感想を持つ方も多いはずです。

ところが、終盤に差し掛かるにつれて、だんだん雲行きが怪しくなっていきます。僕は読む前も読んだ後も恋愛小説だと思っていますが、もしかすると、そう思わない方もいるかもしれません。とにかく、驚きました。

運命の再会は、会議室でした。主人公の奥田浩介は、中学校で同級生だった渡来真緒と、商談の場で再会します。

中学生の頃、真緒は「学年有数のバカ」と呼ばれていました。そして、クラスメイトたちから執拗ないじめを受けていたのです。強い正義感を持つ浩介は、いじめの様子を見て見ぬふりすることができません。たびたび真緒のことをかばっていました。

あれから十年、突然の再会でした。浩介は真緒の姿にまず驚きます。あの真緒が見違えるほどに美しい大人になっていたのです。さらには、非常に優秀な企業人へと変貌を遂げていました。

商談での再会をきっかけに、二人はプライベートでも会うようになります。そして、中学生のときよりもずっと距離を縮め、交際へと発展させたのです。


この先は、微笑ましい日常を過ごす二人の姿が描かれます。その様子は、まさにバカップル・バカ夫婦という言葉がぴったりです。読者である僕の方が恥ずかしくて、苦笑いしてしまうほどのものでした。

そう、これは、気まぐれで猫舌で、甘えん坊だけどそっけない真緒と、優しくて、懐の深い浩介が互いに惹かれ合い、結ばれ、幸せな結婚生活を築いていくほんわか温かい愛の物語――だけでは終わりません。

初めて読んだとき、思わず「えっ!?」と声が出ました。人間、驚くと本当に声が出てしまうんですね。それほどまでに、予想もしていなかった展開だったのです。

結末を知った上で改めて読み返してみると、物語の至るところにヒントが隠されていることに気づきます。あれも伏線、これも伏線、なのです。こうして、一冊で二度も楽しむことができました。また、読後にタイトルを改めて見てみると、その秀逸さに強く頷いてしまいます。

物語の秘密を知ったとき、あなたはどのように感じるでしょうか。僕は、少し悲しく、そして幸せな気持ちになりました。

ちなみに、この紹介文の中にもヒントが紛れ込んでいます。『陽だまりの彼女』を読んだ後に正解を確かめてみてください。

10

悲しみと美しさで溢れた短編小説集

『失はれる物語』——乙一（角川文庫）

「読みやすくて感動できるおすすめの小説を教えてください」

これは僕のもとによく届くリクエストの一つです。

普段はそれほど小説を読まない方、初めて小説を読む方には、短編集をおすすめしています。理由はごく単純で、長編に比べて文字量が少ないので、読書のハードルが下がると考えているからです。

僕もこれまでにたくさんの短編小説を読んできました。その中で「最も好きな短編小説は？」と尋ねられたら『失はれる物語』を挙げます。同名の文庫版には、八つの物語が収録されており、どの作品もおすすめですが、特に印象に残っているのが、表題作である「失はれる物語」です。

主人公の「自分」は、交通事故に遭ってしまいます。意識が戻る頃には、無音の暗闇の中に取り残されていたのです。「自分」は、全身不随の植物状態となり、五感を失いました。身体を動かすことも話すこともできません。目も見えなければ、耳も聞こえません。そんな「自分」に唯一残されたのは、右腕の皮膚感覚のみでした。

「自分」には、妻と娘がいます。しかし、さまざまなすれ違いから、妻との間には諍いが増えるばかりでした。そんな矢先に起こった、突然の悲劇。家族と言葉を交わすことができなくなってしまいます。それどころか顔を見ることも、声を聞くこともできないのです。

そんな絶望の淵に立たされた「自分」を、妻は献身的に支えようとしました。唯一感覚の残っている右腕に指文字を書き、言葉を伝えようとするのです。「自分」はその指文字から、自分が事故に遭ったこと、いま病室にいることを知ります。妻は、娘の様子や天気についてなど、日々の出来事を教えてくれました。結婚するまで音楽教師をしていた妻は、「自分」の右腕を鍵盤に見立てて演奏もしてくれました。一ヶ月、半年、一年と、彼女はずっと「自分」を支え続けます。

しかし、ここまで尽くしてくれる妻に対して、「自分」は感謝の言葉を伝えることすらできません。事故に遭う前、諍いで傷つけてしまったことを謝ることもできません。何を考えても、後悔にばかり苛まれるのです。

そして事故から三年の月日が経過した、とある日のことでした。彼はふと、あることに気づきます。そして、選択を強いられるのです。

「切ない」という言葉だけでは、到底説明がしきれません。いつ読み返しても、さまざまな感情が入り混じって複雑な気持ちになってしまいます。

表題作だけでなく、他の七作品も、悲しく、ほの暗い雰囲気をもつ物語です。とはいえ、悲壮感ばかりが残るわけではありません。儚くも美しく、小さな希望を持たせてくれる、そんな短編小説集です。

著者の乙一さんは、「短編の名手」と呼ばれています。『失はれる物語』を読めばきっと、他の著作も読まずにはいられなくなるはずです。

11

多様性を求められる今こそ読まれるべき珠玉の恋愛小説

『きらきらひかる』――江國香織(えくにかおり)(新潮文庫)

SNSが広く普及したことも関係しているのでしょうか。なにかにつけて多様性、多様性と言われる時代になりました。それに加えて、自分とは価値観の合わない人に対して過度な指摘や暴論をぶつけている様を目にする機会が、極端に増えました。他者との向き合い方と距離感を、深く考えなければならない時代になったと思います。「普通」の在り方についても、議論が絶えません。普通とは何か――これは、正解がない問題です。これまで過ごしてきた環境や、人との関わり方によって、それぞれの「普通」が、長い期間をかけて形成されていくのだと思います。

とある新婚夫婦の話です。妻はアルコール依存症で、非常に情緒が不安定で、精神科への受診歴もあります。対して夫は同性愛者であり、結婚後も、同性の恋人との関係が続いています。

この夫婦の形は、普通でしょうか。それとも、普通とはかけ離れているのでしょうか。

今回ご紹介する『きらきらひかる』は、一見歪に見える夫婦を描いた愛の物語です。

著者の江國香織さんは、恋愛小説の名手です。『きらきらひかる』のほかに、『東京タワー』『落下する夕方』など、大人な恋物語の名作を多数刊行されてきました。『号泣する準備はできていた』では、第130回直木賞を受賞。辻仁成さんと共に、男女それぞれの視点で一つの物語を描いた『冷静と情熱のあいだ』も、2001年の刊行当時、大きな話題となり、その後、映画化されました。

『きらきらひかる』は、アルコール依存症の妻・笑子と、同性愛者の夫・睦月が、見合い結婚をした十日後から始まる物語です。二人はお互いのすべてを承知の上で、結婚に踏み切ったのです。

肉体的に触れ合うことはなくとも、笑子と睦月の間には、確かな愛が芽生えはじめます。周りの人にはわからない、二人にしか見えない確かな愛です。

江國香織さんは、本作のあとがきで次のように述べています。

ごく基本的な恋愛小説を書こうと思いました。

あらすじを見ても、本文を読み進めても、普通とはかけ離れた恋愛小説のように思えます。しかし、そう思うのは、傲慢なのかもしれません。「これが普通だ」「これは普通じゃない」と安易にレッテルを貼り付けてしまっているだけなのかもしれません。

愛とは何か、普通とは何か――どこか哲学的な問いを突き付けられる小説でした。三十年以上前に出版された小説ですが、多様性が語られる今こそ、よりニュートラルに読めるのではないかと思います。

僕はまだ二十代ですが、年を重ねた自分がこの物語を読んで、改めてどんな感想を抱くのかが楽しみな一冊です。

12

大切な人との何気ない日常に感謝をしたくなる「愛してる」の物語

『いま、会いにゆきます』――市川拓司（小学館文庫）

読む前と読んだ後では『いま、会いにゆきます』というタイトルへの印象が、全く違ったものになるはずです。

本作は2004年に映画化され、大きな話題を呼びました。人気ロックバンド・ORANGE RANGEによる主題歌『花』も、ミリオンセラーの大ヒットを記録しています。当時まだ幼かった僕ですら、この映画と主題歌を覚えているくらいです。

恋愛小説であり、ファンタジー小説でもある本作は、「出会い」の尊さと「別れ」の切なさが見事に描かれた家族の物語です。

最愛の妻を亡くした主人公の秋穂巧は、六歳の息子・佑司と静かに暮らすシングルファザーです。妻の澪は佑司が五歳のとき、つまり一年前に、二十八歳という若さで亡くなりました。

澪が亡くなってからの巧は、どこか無気力で体の調子も悪く、ぼんやりと日々を過ごしていました。もともとメンタルが強いほうではなかったところに、澪の死が重なり、生きる気力を失いつつあったのです。男手ひとつで佑司を育ててはいるものの、その生活ぶりは決して整ったものではありません。聴力に影響が出るほど佑司の耳垢が溜まっているなど、巧の育児が行き届いていないことがうかがえます。

巧は、死んだ人が行く星があるのだと考えていました。その星を「アーカイブ星」と呼び、そこでは地球を去った人々が穏やかに暮らしていると思っていたのです。アーカイブ星は、まるで自分たちの心のようなものだと、佑司に話します。

「ぼくのせいでママ死んじゃったの？」

ある日、佑司は「ママに会いたいね」と言った後、そんなことを口にしました。お節介な誰かに聞かされたのでしょう。澪が三十時間にも及ぶ難産の末に、佑司を産んだことを――。

産後、澪は確かに衰弱していました。しかし、五年後に待ち受ける死の要因が、佑司を産んだことであるかは、わかりません。そして、難産が澪の死を招いたのだとしても、それは佑司のせいだということにはならないと巧は強く思っていました。

巧と佑司には、よく散歩に訪れる森があります。その日も、二人で森に行きました。雨が降り出したので帰ろうとしたとき、見覚えのあるシルエットが目に飛び込んできたのです。

その人は、確かに澪でした。巧は確信します。だって、澪は生前に「またこの雨の季節になったら、二人がどんなふうに暮らしているのか、きっと確かめに戻ってくるから」と言い残していたからです。

ただ、一つだけ問題がありました。雨の森にたたずんでいた澪は、それまでの記憶を無くしていたのです。巧のことも佑司のことも、すべてを忘れていたのです。

どうして澪は戻ってきたのか、なぜ記憶を失っているのか、三人は家族としてどう関わり合っていくのか——。

文庫の裏表紙の内容紹介にも記されていますが、この小説にはひたすら「愛してる」ということが書かれています。

愛しくて切なくて、思わず雨が恋しくなってしまう物語です。毎年、梅雨になると、この小説を思い出します。

13

大人になっても読み続けたい「卒業」の物語

『少女は卒業しない』——朝井リョウ（集英社文庫）

高校生の頃、僕は「青春」という二文字を失っていました。高校生活の九割を部活動に注いでいたからです。恋愛すらできなかった三年間だったので、いまでも少しだけコンプレックスに思います。

『少女は卒業しない』を初めて読んだとき、ただただ羨ましいと思いました。それはこの小説が、甘酸っぱさも、ほろ苦さも、青春のすべてが詰まった短編集だったからです。

著者の朝井リョウさんは、二十歳でデビューされてから、華々しい道を辿ってきた大人気作家です。今回ご紹介する『少女は卒業しない』のほかにも、直木賞受賞作『何者』が特に印象に残っています。就職活動真っ只中の大学生を描いた小説で、触れてほしくないところをピンポイントで刺してくる、鋭利な物語です。読んだ当時、僕自身が就職活動中だったということもあり、読後はずーんと重たい気持ちになったことを覚えています。

朝井さんの小説には、高校生や大学生を中心に、年の若い人物が多く登場します。しかし、一概に「青春小説」と括ってしまうのも、ちょっと違う気がするのです。言語化できなくて、表になかなか出せない感情を、そのまま物語にしてくれているような、そんな小説が多いのです。

ただ、『少女は卒業しない』は、真っ向から青春を描いた小説であると思います。舞台は、校舎の取り壊しが決まっている高校です。卒業式が終われば、もう学校はなくなってしまいます。

七編からなる短編小説集で、それぞれ別の人物の視点から、物語が進んでいきます。タイトルの通り、どの話も共通して少女が主人公です。

卒業式の朝、ある少女は想いを寄せていた先生に、告白しようとしていました。年上男性への憧れから生まれた、淡い恋心です。短編ではありますが、ここから始まる七編の物語は、一日の時の流れに沿うようにして進んでいきます。

高校三年間という、儚くて尊い時間があざやかに描き出された小説です。まともな青春を送っていない僕が言うのもおかしなことですが、青春とは綺麗な思い出だけで作られるものではないと思います。誰しも、好きな友人もいれば、苦手なクラスメイトだっていたはずです。尊敬する先生がいた一方で、嫌いな先生もいたことでしょう。楽しい思い出も、寂しい思い出も、甘い思い出も、苦い思い出も、すべてが交じり合うからこそ、「青春」は美しいものになるのだと、この小説を読んで思いました。

卒業シーズンになると、本棚から取り出して読み返したくなります。大人の方も、あの頃の思い出が鮮明に蘇るはずです。

ただ、僕はずっと、高校生の頃に読みたかったなと思っています。残念ながら、過去に戻ることはできません。だからこそ、高校生や中学生の方には、いまのうちに『少女は卒業しない』を読んでもらいたいと強く願っています。

14

たった八十分しか記憶が持たない天才の物語

『博士の愛した数式』――小川洋子（新潮文庫）

きっと読んだことのある人が多いだろうと思いつつ、紹介せずにはいられない小説があります。『博士の愛した数式』です。毎年行われる、書店員の方々が最も売りたい本を決める祭典「本屋大賞」の栄えある第一回受賞作になります。僕も大好きな小説で、これまで何度も読み返しているほどです。

物語は、シングルマザーの家政婦である「私」が、とある数学博士の家に派遣されるところから始まります。博士は、ある重大な問題を抱えていました。記憶がたったの八十分しか持たないのです。

認知症ではありません。六十四歳の博士は、十七年前に起こった事故が原因となり、記憶を蓄積することができなくなってしまったのです。博士は、いつでも見返せるように、大切なことをメモして、背広のいたるところにクリップで留めています。
《僕の記憶は80分しかもたない》
これはメモの一つに書いてある言葉です。
博士から見ると、「私」はいつも初対面になります。覚えられないのだから、仕方ありません。何度も同じ会話を交わしても、どれだけ素敵な出来事があったとしても、博士は八十分後にはすべてを忘れてしまいます。

そんな博士と、彼女はどのように向き合うのでしょうか。なぜ博士はたった八十分しか記憶が持たないのでしょうか。そして、タイトルの『博士の愛した数式』とは、どのような数式なのでしょうか。

この物語には、もう一人重要な人物が登場します。それは、家政婦の息子です。博士は、この少年のことを「ルート」と呼びます。頭のてっぺんがルート記号（√）のように平べったいからです。
博士は、数学に疎い家政婦と、まだ十歳のルートに、わかりやすく数学を教えてくれます。「私」とルートは、数学を通じて少しずつ博士と心を通わせていきました。

記憶は残っていないのに、いつだって初対面同様であるのに、博士のルートに対する接し方は、変わることがありません。不器用ながらも、数学を愛し、温かくルートに寄り添うのです。そんな博士の姿が、僕の目には儚くて美しく見えました。

魅力に満ちているのは、博士だけではありません。ルートもまた、十歳とは思えないほどに、優しい気遣いに満ちている、温かい心をもつ少年なのです。

ほのぼのとした描写が続きますが、終盤へ近づくにつれ、徐々に物語の雰囲気に変化が表れます。博士の愛した数式が明かされたとき、あなたは何を思うでしょうか。

ところでこの小説には、博士、家政婦の女性、ルートの他に、実はもう一人、物語の鍵を握る登場人物がいます。それが誰なのかは実際に読んで確かめてみてください。さまざまな愛の形があることに気づかされるはずです。

この小説を読めばきっと、数学が愛おしくてたまらなくなると思います。

15

感謝を込めて大切な人にプレゼントしたくなる一冊

『ギフト』――原田マハ（ポプラ文庫）

素朴派の画家アンリ・ルソーの絵を題材にした『楽園のカンヴァス』、天才画家ゴッホを描いた『たゆたえども沈まず』を筆頭に、世界の絵画を物語に用いた〝アートノベル〟の第一人者である原田マハさん。アートへの造詣の深さだけでなく、ミステリーやヒューマンドラマも緻密に描き、多くの読者を魅了しています。

そんな原田さんの小説の中でも、僕にとって特別な一冊となっているのが、今回ご紹介する『ギフト』です。普段あまり活字を読まない方、小説は難しそうで敬遠している方にも、強くおすすめします。

本作は、計二十編の掌編小説集です。「掌編」とは一般的な短編小説よりもさらに短い物語のことを指し、「ショートショート」と呼ばれることもあります。

数ページで完結する物語が多く、最後に併録されている「ながれぼし」だけが、43

ページにわたる短編小説となっています。棘のない言葉で紡ぎ出される物語には、どれも愛に溢れた何気ない日常が描かれていました。

『ギフト』の中で、特に僕が気に入っている物語を一つ、ご紹介させてください。二編目に収録された「雨上がりの花」です。僕が擦り切れるほどに読んでいることも関係していますが、おおよそ一分に満たない時間で読める短い話になります。

広告代理店に勤める主人公の「私」には、藤田（ふじた）という苦手な先輩社員がいました。藤田は、破竹のトーク力で数々のプレゼンをさらってきたできすぎる女で、キャリアウーマンの権化であるかのような女性です。一分の隙もありません。

物語は、そんな藤田が六月いっぱいで退職することが決まったところから始まります。社内では、ヘッドハンティングだろうと噂されていました。

藤田の退職当日に、最重要クライアントへのプレゼンがセットされていました。プレゼン担当の「私」は気合十分で、確かな自信もありました。しかし、プレゼンの前日に部長に呼び出され、急遽、プレゼンの交代を告げられます。「私」に代わってプレゼンするのは、藤田だというのです。

納得いかず、部長にくってかかる「私」ですが、その交代には理由があって――。

『ギフト』に収録されているのは、それぞれ独立した短いストーリーばかりですが、一冊を通して四季の変化を感じさせる作りになっています。先ほどご紹介した「雨上がりの花」では、藤田が六月の梅雨の時期に退社します。梅雨の花といえば……と、四季折々の美しさと尊さ、儚さが描かれた小説です。原田マハさん特有の芸術的で繊細な物語を、存分に味わうことができます。

物語という名のギフトが描かれた本作は、プレゼントにもぴったりです。大切なパートナーや家族に贈るのもよし、また、少々限定的ではありますが、結婚を控えた女性に贈るのもおすすめします。

その理由は、読めばきっと、ご理解いただけるはずです。

16

小説だからこそ体験できる唯一無二の文章表現

『アルジャーノンに花束を』——ダニエル・キイス、小尾芙佐訳(ハヤカワ文庫NV)

「誤字だらけで、まるで幼児が書いたような小説」

僕はSNSの動画投稿で、このキャッチコピーとともに本作を紹介しました。紹介動画には大きな反響があり、一年間で約十八万部の増刷を記録したそうです。もちろん、これは僕の力だけではなく、さまざまな外部要因もあったのに加え、そもそも作品自体が優れているからこそ起こった、リバイバルヒットです。

これをきっかけに気づいたことがあります。それは、どれだけ読み継がれている名著であっても、知らない・読んだことがない人の方が圧倒的に多いということです。考えてみれば当然のことなのですが、偉大な作品だからこそ、盲点になりやすい部分です。「はじめに」でも触れましたが、「いまさらこんな名作を……」みたいな考え方は捨てなければなりません。今回は、まだ読んだことがない人に向けて、不朽の名作

『アルジャーノンに花束を』を紹介していきます。

物語の主人公は、三十二歳のチャーリイ・ゴードン。彼は知的障害を抱えています。大人になっても幼児程度の知能と感情しか持っておらず、文字の読み書きも上手くできません。

あるとき、そんなチャーリイのもとに夢のような話が舞い込みます。それは、開発されたばかりの脳手術の提案でした。手術に成功すれば、知能レベルがグンと上がるというのです。

脳手術の動物実験に使われていたのは、白ネズミのアルジャーノンです。アルジャーノンは、この手術を受けることで、驚くような知能を手にしていました。迷路を使った実験の対決では、人間であるチャーリイに勝利したのです。

そんなアルジャーノンの姿を目にしたチャーリイは、俄然、脳手術に対する期待を膨らませました。

手術は無事に成功。彼の知能レベルは、日を増すごとに上がっていきます。満足にできなかった文字の読み書きができるようになり、さまざまな国の言語を話せるようになり、ついにチャーリイは、天才的な頭脳を手に入れたのです。

しかし彼は、知能レベルが上がったことによって、ある事実に気づいてしまいます。

知的障害の影響で、今までは何を言われているのか理解できていませんでしたが、チャーリイは周囲の人たちから自分は馬鹿にされていたことを知るのです。さらには、母親にまでも嫌悪感を抱かれていたことを知ります。

高度な知能を手に入れたことによって生まれる孤独と葛藤、そして軋轢。チャーリイが苦悩の日々を送っている間に、ネズミのアルジャーノンには不可解な変化が起こりはじめます。

この小説は、チャーリイの書いた経過報告をもとに、話が進んでいきます。彼は最初、文字の読み書きが上手くできませんでした。それをリアルに表現するために、作中の文章の一部は、意図的に誤字脱字を用いて書かれています。

例：「経過報告」→「けえかほおこく」

これは、文章だからこそ可能な表現であると言えます。まるでチャーリイ本人が書いたかのような文章で物語が進むことにより、じわりじわりと緊張感がにじんでくるのです。

『アルジャーノンに花束を』は、じっくり時間をかけて読んでいただきたい物語です。特に最後の一文は、何度読んでも心が震えます。

17

すべての「愛」とすべての「幸せ」を肯定してくれる物語

『神さまのビオトープ』――凪良ゆう(講談社タイガ)

凪良ゆうさんは、『流浪の月』『汝、星のごとく』で本屋大賞を受賞した、幅広い年代から支持を得ている作家です。どの作品も素晴らしいのですが、今回は特に印象的で、僕が何度も読み返している小説があります。

『神さまのビオトープ』です。本作は、女性向けライトノベルを出し続けてきた凪良さんによる、初の一般文芸作品になります。

僕がこの小説と出会ったのは、『流浪の月』が本屋大賞を受賞したことがきっかけでした。その頃はまだSNSでの情報発信を始めておらず、読む作品のジャンルはミステリーやホラーばかりで偏りがありました。そんな僕でも、本屋大賞受賞作は見逃せません。早速『流浪の月』を購入し、読んでみたところ……。衝撃という言葉では片付けられないほどの読書体験でした。

凪良さんが書かれた小説をもっと読んでみたいと思い、次に手にしたのが『神さまのビオトープ』でした。そしてこの作品が、僕の心に深く刻まれることとなったのです。

主人公は、高校で美術の非常勤講師をしている鹿野うる波。うる波は結婚してもなお、夫のことを独身時代のように「鹿野くん」と呼び続けていました。

結婚二年目のある日、突然の交通事故で、鹿野くんが亡くなってしまいます。うる波は、最愛の人を亡くした悲しみに暮れていました。鹿野くんと一緒に住んでいた家に、一人取り残されてしまったのです。

しかしある日、うる波は思いもよらぬ光景を目にします。自宅の縁側に、見慣れた背中があったのです。それはまぎれもなく、亡くなったはずの鹿野くんでした。どういうわけか、うる波にしか姿が見えず、うる波としか会話ができない幽霊として、鹿野くんが帰ってきたのです。

ここまでがプロローグです。物語は、うる波が幽霊となった鹿野くんと住みはじめてから、二年が経ったところから始まります。さまざまな愛の形が描かれた、四編の物語です。

僕は、凪良さんの小説を読むたびに、新しい価値観がアップデートされるような気持ちになります。中でも『神さまのビオトープ』は、特に象徴的な作品でした。詳しい内容は差し控えますが、とにかくはっとさせられることばかりなのです。これまで何気なく目を背けてきたことと向き合うきっかけをくれる、新しい世界に導いてくれる物語なのです。

あなたは、「幽霊と暮らす女性の物語」と聞いて、どのような結末を想像しますか？

この物語の結末は、僕が予想していたものとは違っていました。

でも、「この結末で本当によかった」と心の底から思いました。

第1章　引用文献

又吉直樹『劇場』（新潮文庫）1刷、13ページ・14ページ、2019年、新潮社
絲山秋子『ばかもの』（河出文庫）初版、49ページ、2023年、河出書房新社
カツセマサヒコ『明け方の若者たち』（幻冬舎文庫）初版、14ページ・18ページ、2021年、幻冬舎
中山可穂『白い薔薇の淵まで』（河出文庫）初版、15ページ、2021年、河出書房新社
越谷オサム『陽だまりの彼女』（新潮文庫）50刷、6ページ、2016年、新潮社
江國香織『きらきらひかる』（新潮文庫）57刷、211ページ、2020年、新潮社
市川拓司『いま、会いにゆきます』（小学館文庫）7刷、72ページ・79ページ、2020年、小学館
小川洋子『博士の愛した数式』（新潮文庫）53刷、21ページ、2022年、新潮社

COLUMN 1

付箋を使うと、読書がより楽しくなる

僕は紹介動画を撮影する際、なるべく本を手に持つようにしています。本に付箋を貼ったまま撮影することも少なくありません。なので、視聴者の方から「どんなところに付箋を貼っているんですか?」というコメントをよくいただきます。

ということで、付箋を使う際に僕が意識していることについてお話しします。職業病ともいえる内容を含むので、参考になるかはわかりませんが……。

付箋を貼る理由は、大きく分けて2つあります。

1つ目の理由は単純で、**紙の本にペンで書き込みたくないから**です。これは説明するまでもありませんね。

2つ目の理由は、**「物語の理解をより深めたい」と思っているから**です。高校生の頃、現代文のテストを解くときは、まず設問を読み、その後、本文を読みながら重要だと感じた箇所に線を引いていました。

もちろん、今は小説を自分の楽しみのために読んでいます。でも、どうせ読むのだったら、物語の理解を深めたいと思い、現代文のテストのときのように、付箋を使ってチェックするようになりました。あと、僕の場合は、付箋を貼るという行動そのものが記憶の定着に結びついているようです。おかげで、すんなりと物語に入り込むことができます。

付箋を貼る場所については、大きく分けて3つあります。

1つ目は、**後の物語において、伏線となるかもしれない箇所**です。この部分に貼っておくことで、読後に伏線を振り返りやすくなりました。それと、答え合わせができることも楽しいです。

2つ目は、**主要登場人物の心情や目的が変化したと感じる箇所**です。小説は、主人公に変化が起こるタイミングが、ストーリーの転換期になっているケースが多々あります。変化したなと思ったところに付箋を貼っておくことで、前後の振り返りが簡単にでき、より読書が楽しくなりました。

3つ目は、**小説紹介動画を作成する際に、キーワードとなりそうな一言や一文**です。これは完全に職業病ですね。読んでいる途中で、「これは動画にしたい」と思うことがよくあります。読みながら自然と紹介文を考えてしまうことも増えました。

ちなみに僕は、読後に物語を振り返りながら付箋を外しています。

なお本に貼る付箋は、多少お金を出してでも、品質の良いものを使うことをおすすめします。質の良くない付箋は、本から外す際にページを傷める原因になりかねません。実際、それで後悔した経験があります……。僕は、細めのフィルムタイプの付箋を愛用しています。

付箋という小道具を使うだけで、普段の読書がさらに楽しくなるかもしれません。

第2章

背筋が凍る物語

―恐怖の読書体験をしたい方へ―

18

たった数ページの地獄を味わってみませんか？

『一寸先の闇　澤村伊智怪談掌編集』——澤村伊智（宝島社）

高所から人間が落ちたときの音を知っていますか？

「ゴン」とか「ドスン」ではありません。

「どパァん！」

このように、意外と派手な、弾けるタイプの音がするんです。

さて今回は、僕の大好きなホラー小説の掌編集を紹介させてください。

『一寸先の闇　澤村伊智怪談掌編集』に収録されている「名所」という物語は、わずか七ページで完結します。

マンション「サンビレッジB棟」の十三階から十四階に上がる階段にある踊り場か

ら、駐車場のアスファルトに向かって人間が落ちたとき——

「どパァん！

……って感じやねん、飛び降り自殺の音って」

普通の生活を送っていたら、まず耳にすることのないこの音を、よく耳にする人がいます。マンションの住人です。

サンビレッジB棟は、いわゆる「名所」です。なぜか自殺者はみんな同じところを使います。住民でもない人が、電車に乗って、バスに乗って、わざわざやってきます。サンビレッジB棟の十三階から十四階に上がる途中の踊り場で自殺をするために、です。時間は決まって夜中です。

なぜ、何の変哲もないどこにでもありそうなマンションが、自殺に使われ続けるのでしょうか。その謎が、この物語の核心にあたります。

『一寸先の闇 澤村伊智怪談掌編集』には、このようなわずか数ページに恐怖が濃縮された二十一の物語が収録されています。

短い物語だからといって、侮ってはいけません。一概に長さがものを語るわけではないと、この小説を読んで思いました。むしろ短いからこそ、ストーリーそのものの骨太な恐ろしさに襲われます。「名所」の結末も、いまだにずっと頭から離れません。気軽にホラーを体験してみたいと思ったら、まずはこの「名所」から読んでいただきたいです。たった七ページの地獄をお楽しみください。

余談になりますが、僕のＴｉｋＴｏｋアカウントでも「名所」を中心に本作の紹介をしたのですが、見事に動画が消されてしまいました（ＹｏｕＴｕｂｅには残っています）。紹介動画がコミュニティガイドラインに抵触してしまうほど、恐ろしく不気味な小説だということです。

19

いつまでも古びない江戸川乱歩の傑作小説

『人間椅子』――江戸川乱歩（角川ホラー文庫）

文豪と呼ばれる小説家の作品を読んでみたいと思いつつ、なんだか難しそうで尻込みしてしまう――そんな方も多いのではないでしょうか。たしかに最初は、文体の違いに苦労するかもしれません。また、時代背景の違いにより、情景を鮮明に思い描きにくい場合もあるので、それもまた、敬遠してしまう要因になっているのかもしれません。

とはいえ、読んでみれば「これは面白い！」と思える文豪作品はたくさんあります。その中でも、江戸川乱歩の小説は、読書の魅力が詰まっており、小説が好きになるきっかけになり得る作品ばかりです。

今回ご紹介するのは『人間椅子』です。この小説は、著作権が切れているので、「青空文庫」というウェブサイトで検索すれば、無料ですぐに読むことができます。

ある美しい女性作家は、執筆前にファンレターを読むことを習慣のようにしていました。強い支持を受けている彼女の元には、いつも大量の手紙が届くのです。

ある日の朝、彼女の元に原稿かと思うほどにかさ高い手紙が届きます。差出人は、椅子職人と名乗る男でした。自身の容姿を「醜い」という男は、女性作家に「懺悔(ざんげ)しないではいられなくなりました」と述べるのです。

その手紙は「奥様、」という書き出しから始まります。椅子職人は、生まれつき酷い容姿をしており、そして、貧しい暮らしを送っていました。しかし、その胸中では、贅沢な生活を夢見ていたのです。椅子職人としての腕は高く、豪華な細工を施した椅子を作り、商会に納めていました。男は椅子を作りあげると、その椅子に腰かけ、座り心地を確認します。そのとき、この椅子はどんな場所で使われるのだろう、どんな人が座るのだろう、と楽しい妄想にふけるのです。ところが、妄想から現実に戻るたびに、激しい虚無感に襲われます。そして、「こんな、うじ虫の様な生活を、続けて行く位なら、いっそのこと、死んで了った方が増しだ」と思うようになったそうなのです。

あるとき、男は突拍子もないことを思いつきます。それは、ホテルに納められる予定の椅子に潜り込むというものでした。椅子の中に潜み、人のいなくなったホテルで盗みを働こうと企んでいたのです。

この企みは、想像以上にうまくいきました。しかし、男の目的はしだいに変化していきます。自分が潜り込んだ椅子に座る人々の体温や匂い、その感触の心地よさに魅せられてしまったのです。それは、男にとって大きな快楽となっていきました。

ところで、男はなぜ、このような話を懺悔として手紙に記し、女性作家へ送ったのでしょうか。それは……。


短い物語でありながら、読後の満足度が非常に高い作品です。読み進めている途中は、不気味で猟奇的なフェティシズムの描写に少々苦しくなりますが、結末は予想外の展開で、あっと驚かされます。嫌な想像が次々と掻き立てられるのは、江戸川乱歩という偉大な作家の筆力がなせる技です。

まごうことなき名作であり、多くの読書家に愛され続けてきた物語です。文豪による作品を読んだことがないのであれば、『人間椅子』は文豪作品デビューにぴったりの小説だと思います。

20

刺激的で精神を削られる読書体験

『他人事（ひとごと）』――平山夢明（ひらやまゆめあき）（集英社文庫）

暴力的で、痛々しくて、理不尽な出来事が立て続けに起こる、そんな話ばかりを集めたグロテスクな短編小説集があります。間違いなく読み手を選ぶ作品です。嫌な人はとことん拒絶するほどの十四編が収録されているのです。

しかしながら、僕はそういった小説を好んで読むことが多く、これから紹介する『他人事』も例外ではなく、夢中で読みました。非日常というか、生きている中で絶対に体験できないようなことを想像させてくれるスリリングな小説です。

今回はその中から、非常に印象深かった表題作「他人事」をご紹介します。

男が山あいの道で車を走らせていると、ふいに対向車がセンターラインを大きくはみだしてきました。あわててハンドルを切ったものの、車はガードレールを突き破って、崖から転落し、ひっくり返った状態の車内に閉じ込められてしまいます。男は足を挟まれており、すでに膝から下の感覚がありません。どうなっているのだろう、おそるおそる膝を手で触れてみると、腐った桃のようにぐずぐずと指が埋まっていきます。

なんてことだ。同乗していた涼子（りょうこ）と、子供の亜美（あみ）は無事だろうか。

「だいじょうぶか?」そう呼びかけると、涼子の声が返ってきました。身動きは取れないけれど無事なようです。男が安堵するのも束の間、ヒステリックな涼子の声が車内に響きました。「亜美がいない！　亜美！　あみ！」

そのとき、『おい。大丈夫かい?』と、何者かの声が聞こえてきました。割れた窓ガラスの隙間から、黒い靴が見えます。こんな山あいに人がいるなんて、奇跡としか言いようがありません。

すぐさま亜美の安否を尋ねます。「すみません！　子供がいないんです」すると、『いや、いる。ここに。怪我をしてるよ』何者かは、そう教えてくれました。どうやら、事故の衝撃で車から放り出されていたようです。

亜美が生きていることを知って安心したものの、怪我の様子が心配です。

男は何者かに頼みます。「すみません、具合をみてやって貰えないでしょうか。お願いします」。きっと力を貸してくれるだろう。そう信じて疑いませんでした。

しかし、何者かは思いも寄らないことを言ったのです。

『俺はあんたらのリモコンじゃないんだ』

この先に待っていたのは、絶望に次ぐ絶望でした。

過激で悲惨なお話です。しかし、表題作は、まだましなほうだと思います。想像もつかないほどの悪夢と狂気、不快感を濃縮したような短編小説集です。

一味違う刺激的な読書体験をしてみたい方は、どうぞ覚悟のうえでお読みください。

21

ブタの臓器を全身に移植された少女の話

『人獣細工』――小林泰三（角川ホラー文庫）

尊敬する小説家の話をさせてください。ホラーやSF、ミステリーを中心に小説を書かれていた小林泰三さんです。小林さんの作品には、ハッとする気づきがあったり、夜も眠れなくなるほど恐ろしくなったり、胃がキュッとなるほど切なくなったり、幾度となく魅了されてきました。

しかし、小林さんの新作は、もう二度と読むことができません。癌との闘病の末、2020年11月23日にご逝去されました。僕がSNSでの小説紹介活動を開始してから、二日後のことです。訃報を耳にした後、この活動を通して小林さんの作品がより多くの方に届いたらいいな、と思ったことを覚えています。その数日後に、小林さんの代表作の一つである『アリス殺し』を紹介しました。

２０２３年、角川ホラー文庫の30周年記念として、小林さんの小説を復刊するプロジェクトが始まりました。その復刊作品の一つが、今回ご紹介する『人獣細工』です。本作は、復刊されて初めて読んだのですが、小林さんはまた新たな衝撃を僕に与えてくれました。

主人公の少女は、先天性の病により、ほとんどの臓器に欠陥があります。そのため、生後間もない頃から度重なる臓器移植手術を受けてきました。彼女の身体に移植される臓器は、人間のものではありません。なんと、ブタの臓器だったのです。この時点で、物語がいかに悍(おぞ)ましいものかはお分かりいただけると思います。

そんな彼女の手術を担当していたのは、実の父親です。彼は、臓器移植の専門医でした。

彼女の身体は、度重なる手術でできた傷によって、継ぎはぎだらけでした。生き延びるための手術とはいえ、女性の身体に損傷が残るのは、あまりに残酷です。そんな彼女は、高校生のときに皮膚移植を受けることになります。ある一箇所を除いて――。

彼女が大人になる頃、病により父が他界しました。その後、あることをきっかけに、彼女は父の部屋に保管されていた研究記録を調べます。そこで、驚愕の事実を知ることとなるのです。
これまで抱いてきた父への違和感、数々の疑念、すべてが繋がろうとしています。彼女が事実を知ったとき、あなたも大きな絶望感に見舞われるでしょう。

「これぞ、角川ホラー文庫」と思わず唸る作品です。僕のSNSで紹介したところ、トップクラスに大きな反響を生みました。

もし、まだ小林さんの小説を読んだことがないなら、ぜひ一冊、読んでみてください。「メルヘン殺し（ごろし）シリーズ」や『玩具修理者（がんぐしゅうりしゃ）』（収録作「酔歩（すいほ）する男（おとこ）」も傑作です）、そして『人獣細工』など、小林泰三さんの作品はどれも、小説だからこそ味わえる恐怖や戦慄、ストーリーの趣（おもむき）に満ちています。一冊読んだら、きっと、もう一冊読まずにはいられなくなるでしょう。

22

手元に置いておくことすら拒絶してしまう世界で一番怖い小説

『どこの家（いえ）にも怖（こわ）いものはいる』——三津田信三（みつだしんぞう）（中公文庫）

一生忘れることのできない小説があります。僕が世界で一番怖いと思っている小説です。おそらく僕は、この本に呪われていました。ここからは、簡単な物語の紹介と、この小説に関する僕のエピソードをお話しさせてください。

『どこの家にも怖いものはいる』は、「家」にまつわる五つの怪談をもとに構成された物語です。それらの話は、人物・時代・内容は異なりますが、奇妙な共通点が存在します。

もちろん、ストーリーそのものも、背筋が凍るほどなのですが、それ以上に、多くの読者を恐怖に陥れるのではないかと思うのが、作品冒頭の「お願い」と、帯に書かれている一文です。

お願い
本書に掲載した五つの体験談について、執筆者ご本人またはご親族でご存じの方がおられましたら、中央公論新社の編集部までご連絡をいただければ幸いです。

この本を読んで奇妙な物音が聞こえてきたら、いったん本書を閉じてください。


幸いなことに、僕には何も聞こえませんでした。

問題が起こったのは、読後です。ホラー小説が大好きな僕は（ちなみに「ホラー映画」は苦手です）、もちろんSNSでも高頻度で紹介しています。例外なく、『どこの家にも怖いものはいる』も2022年2月にショート動画で紹介しました。

動画をアップした翌日、僕は三十九度を超える高熱を出し、悪夢にうなされたのです。真っ先に疑ったのは、コロナウイルスの感染でした。当時は、新型コロナウイルス感染症の第六波による、全国的な感染拡大が起こっていたからです。しかし、病院で検査してもらったところ、結果は陰性でした。

ところが、なかなか熱は下がらず、眠るたびに悪夢に襲われます。とにかく苦しくて、朦朧とする意識のなか、「このまま死ぬんじゃないか」と思っていました。

熱が出はじめてから一週間が経過した頃、何の前触れもなく、体調が回復しました。徐々に元気になったのではなく、起き上がれないような状態から、一気に万全な体調に戻ったのです。悪夢にもうなされなくなりました。

一体、なんだったんだ？　そう不思議に思いながらも、しばらく開くこともできなかったSNSを見てみると、最後の投稿が『どこの家にも怖いものはいる』の紹介動画だったことに気がつきます。

紹介した翌日から高熱を出し、悪夢にうなされ、一週間後に、何事もなかったかのように回復した……。

僕は、幽霊や呪いの類は信じないタイプなのですが、さすがにこの一連の出来事が偶然だとは思うことができずに、すっかり恐ろしくなって、『どこの家にも怖いものはいる』を、すぐさま手放しました（とある編集者の方が引き取ってくれました）。

この本を家に置いておくと、また何かが起こりそうな気がしてたまらなかったのです。

こんなエピソードを公開しておいて、おすすめするのも気が引けますが、怖いもの好きな方は、ぜひ読んでみてください。

この小説を読んだ人の「家」には、それが訪れるかもしれません。

23

心臓が止まりそうになるほどの衝撃を受けたバイオホラー

『ヨモツイクサ』——知念実希人(ちねんみきと)(双葉社)

本書でも複数冊取り上げている通り、僕はホラーというジャンルを心から愛しています。ただ、これは小説だから好きなのであって、ホラー映画や「ほんとにあった怖い話」などの番組を率先して観ることはありません。家族や友人と観ることはあっても、一人で観ることは絶対にないです。大きな音、突然現れる幽霊や殺人鬼、その演出に驚いて、心臓が止まりそうになるあの感覚が苦手だからです。その点、小説であれば、自分のペースで読み進めることができます。また、想像の範疇でじわじわと怖さを楽しめるというのも、ホラー小説の魅力です。つまり、ホラー小説なら、自分で恐怖をコントロールしながら読むことができるわけです。

ただし、一冊だけ例外があります。それが、今回ご紹介する『ヨモツイクサ』です。

この小説のとあるページを開いた瞬間、身の毛もよだつほどの恐怖に襲われました。もちろん、小説なので文章だけで構成されています。怖いイラストが挟まっているとか、そういうことではありません。まぎれもなく、文章だけで作られた怖さなのです。

物語は、ある悍ましい生物の謎を追う形で進みます。人間の腹を生きたまま裂き、内臓から食い散らかすという、悪魔のような生物です。その生物は北海道旭川の森に生息しています。アイヌの人々はその森を恐れ、足を踏み入れてはならない「禁域」として言い伝えていました。ひと昔前に、森近くに住む家族が忽然と消えた、神隠し事件が起こったからです。

そんな危険な森を、大手ホテル会社が開発しようとしていました。無事に開発が進めばよかったのですが、またしてもその禁域で事件は起こってしまいます。開発に携わっていた作業員六名が、行方不明になってしまったのです。

話は変わりますが、「三毛別羆(さんけべつひぐま)事件」をご存じでしょうか？　史上最悪と言われている、ヒグマによる襲撃事件です。三毛別羆事件に限らず、日本では人が熊に襲われる事件がたびたび起こっています。中でも特に恐ろしいのは、ヒグマです。人を捕らえたら、足の骨を折って動けなくするという知恵も持っています。そして、捕らえた人間の腹を、生きたまま食らうのです。人々は、禁域の森にはヒグマがいるのだろうと信じて疑いませんでした。神隠しや行方不明事件は、ヒグマの仕業だろうと思っていたのです。

しかし、真相は違いました。こんな奴がいるなら、ヒグマのほうがまだましだと思ってしまうほど、恐ろしい生物の所業だったのです。

その生物の名は、「ヨモツイクサ」。悍ましい見た目をした、とても人間では太刀打ちできそうにない巨大生物です。

こんな生物が一体どこから生まれたのでしょうか。神隠し事件はどのようにして起こったのでしょうか。

物語が進むにつれ、これらの謎が解き明かされていきます。ヨモツイクサの正体を知ってしまったときの衝撃は、とても言葉になりません。

想像力の豊かな人ほど、この物語の恐ろしさを深く味わうことになるでしょう。僕の心臓を止めそうになった「あるページ」は、実際に読めばすぐにわかるはずです。

24

息が詰まるほど悍ましい命懸けのサバイバルゲーム

『クリムゾンの迷宮』——貴志祐介（角川ホラー文庫）

恐ろしくてたまらないのに、どこかワクワクしてしまう、目を背けたくなるほど悍ましいのに、ページをめくる手が止まらない——そんなホラー小説があります。今回ご紹介する『クリムゾンの迷宮』です。『黒い家』『天使の囀り』『悪の教典』など、数多くの傑作ホラーを生み出した貴志祐介さんが描く、命懸けのサバイバルゲームです。

主人公は、藤木という四十歳の男。失業してからは、貧乏生活を送っています。ある日、目覚めると、彼は岩だらけのまるで火星のような場所にいました。傍にはゲーム機に似た端末があり、そこには、次のようなメッセージが表示されていたのです。

ゲームは開始された。無事に迷宮を抜け出て、ゴールを果たした者は、約束通りの額の賞金を勝ち取って、地球に帰還することができる。

どうやら藤木は、何者かによって仕組まれたサバイバルゲームに参加させられたようなのです。そのゲームには、藤木を含む九人の参加者がいました。賞金と書かれていますが、藤木には、こんなゲームにエントリーした記憶は全くありません。

ゲームの内容はシンプルで、端末に表示された指示に従って、途中で支給されるアイテムを駆使しながらチェックポイントを目指すというものです。生き残れるのは、たった一人。食料や水も満足に用意されておらず、まさにサバイバルな状況下でゲームは進みます。

ゲーム開始当初は、参加者同士で協力し合おうとしていました。しかし、徐々に雲行きが怪しくなっていきます。我こそは生き残ってやろうと企む参加者たちによる、騙し合いが始まったのです。生き残るために容赦無く他の参加者を貶めようとする者もいます。もはや、他人を迂闊に信じることが許されないのです。

そして、物語の後半、このゲームの行く末を大きく左右する、恐ろしい〝何か〟が現れます。その正体については、実際に読んで確かめていただきたいです。

サバイバルゲームということもあり、作中では主人公である藤木の逃走劇がたびたび描かれます。緊張感のある描写には、思わず息をするのも忘れてしまうほどでした。極め付きは、物語の結末です。なぜこのサバイバルゲームが開催されたのか、一体誰が藤木たちを謎の場所に連れ出したのか――。

僕は『クリムゾンの迷宮』を、エンタメ小説として最高峰の完成度であると思っています。

初版発行から二十年以上の歳月を経た作品ですが、読むたびに目新しさすらも感じられるのです。『クリムゾンの迷宮』を読むことでしか味わえない恐怖を、ぜひその目に焼き付けてください。

25

不幸の中の不幸を凝縮した五つの短編小説集

『汚(よご)れた手(て)をそこで拭(ふ)かない』――芦沢央(あしざわよう)（文春文庫）

もうやめて

帯に書かれたこの一言に惹かれ、紀伊國屋書店新宿本店で吸い込まれるように手に取ったことを鮮明に覚えています。僕が『汚れた手をそこで拭かない』を最初に読んだとき、本作は直木賞の候補作品にノミネートされていました。

五編収録された短編小説集で、どの話も小さな過ちや傲慢、過信が招く大惨事に、登場人物たちが窮地に立たされるという、緊張感溢れたミステリーとなっています。彼らと同じ立場には絶対になりたくない、そう願わずにはいられません。

幽霊が出てくるわけではなく、怪奇現象が起こるわけでもありません。目を背けたくなるような残酷な描写があるわけでもありません。それでも、怖くてたまらないのです。文字通り、悪寒が走るほどの読書体験でした。

今回は、本作の二編目に収録された「埋め合わせ」という話を中心に紹介させてください。


突然ですが、問題です。学校のプールの水を出しっぱなしにして、プールおよそ六杯分……二二〇〇立方メートルの水を無駄にしてしまうと、一体いくらの損害が出ると思いますか？　これは小説の話ではなく、ある学校で本当に起こった事案です。

答えは、約一九〇〇万円です。僕はこんなにも多額になってしまうのかと驚きました。では、このお金って一体誰に支払い責任があると思いますか？　この事案の場合、損害の半分にあたる九十五万円を出しっぱなしにしてしまった教員と校長が支払ったそうです。こういった事故は、べつだん珍しいことではありません。

ではここで、少々嫌な想像をしていただきます。重ねて、嫌な質問もさせてください。もしあなたが学校教員だとして、少しの手違いによりプールの水を出しっぱなしにしてしまったとします。不幸中の幸いで、数百万単位の損害には及ばずに、計算したところ約十三万円分の水量でした。まだ誰にも気づかれていません。

あなたなら、正直に申告しますか？　それとも、隠蔽する方法を考えますか？
「埋め合わせ」は、プールの管理を担当していた教員の千葉秀則（ちばひでのり）が排水バルブを締め忘れるところから始まります。損害額は、おおよそ十三万円。払えない金額ではないのかもしれません。しかし、このミスは金額だけの問題ではないのです。彼の頭によぎったのは、二年前に退職した女性教員の顔でした。彼女は、仕事上のミスによって戒告処分を受け、管理職から繰り返し詰問された上、教育委員会にも何度も呼び出され、心身の調子を崩してしまったのです。

思考を巡らせ、彼はひらめきました。

子どものいたずらに見せかけることを。

読み進めるにつれて、少しずつ首を絞められていくかのように苦しくなっていく、そんな読書体験でした。収録された五編は、どれも人生の反面教師となる物語です。

26

タイトルに惹かれて手に取り、心を打ち砕かれたイヤミス

『私の命はあなたの命より軽い』――近藤史恵（講談社文庫）

「女の人って怖いですね」――30代・男性読者
「怖いのは女だけですか？」――近藤史恵

これは、僕が持っている文庫版第4刷の帯にある文言です。このゾッとする帯文に加え、『私の命はあなたの命より軽い』という不気味なタイトルに惹かれ、この本を手に取りました。

僕はイヤミス（読後、嫌な気持ちになるミステリー）が好きで、これまで多くのイヤミスを読んできました。なぜ娯楽であるはずの読書で嫌な気持ちにならないといけないのか……とも思いますが、不思議なことに、中毒性があってやめられません。

本作読了後も、思いきり打ちのめされました。作中で覚えた違和感が真実へと繋がったときの〝焦り〟は忘れられません。帯の言葉は、文庫巻末に収録されているあとがきから引用されています。おそらく、僕が男性ということも関係して、あとがきにも心をえぐられました。

大阪出身であり、東京で初めての出産を控えた、主人公の遼子(りょうこ)。この大事な時期に、突然、夫である克哉(かつや)のドバイ赴任が決まりました。克哉は悪びれる様子を見せることもなく、あっさりとした態度で赴任を伝えます。無理に引き止めるわけにもいかないため、遼子は、出産するまでの期間を実家で過ごすことにしました。

最初の違和感は、帰省することを両親に伝えるために、電話をかけたときのことでした。遼子が事情を話した後、電話口の母親は電話が切れてしまったのかと思うほどに沈黙したのです。そして、やっと声が聞こえたと思ったら、母親は「ごめんね。急な話だったから。ちょっとお父さんと相談してみてもいいかしら」と言いました。

後に「帰ってきなさい」と言われたものの、遼子の心は晴れません。

申し訳ない思いを抱えながらも実家に帰省した遼子は、家族と過ごすうちに、さらなる違和感を覚えます。自分はどうも歓迎されていないようなのです。家族とトラブルを起こしたことはありません。むしろ、仲の良いほうだと思っていました。しかし、両親だけでなく、年の離れたまだ十代の妹すら、目を合わせようともしてくれません。遼子のお腹に宿っている子は、両親にとって待望の初孫で、喜ばしいはずなのにもかかわらず、です。それからしばらくの間、遼子の知らぬ間に家族になにがあったのかがわからぬままの生活が続きます。

知らないほうが幸せだったかもしれません。物語が進むにつれて、遼子の出産が近づくにつれて、違和感の正体が浮き彫りになっていきます。そしてそれは、苦しく、悲しい真実に辿り着くのです。

近藤史恵さんの小説を読むと、いつも思うことがあります。それは子どもの未熟な感情を描き出す技術が、あまりに優れていることです。この描き方が物語のリアリティを存分に引き立てています。

家族になにがあったのか？
血の気が引くほどの真実を、この小説のラストシーンで確かめてください。

27

凝り固まった常識をぶち壊してくれる物語

『殺人出産』——村田沙耶香（講談社文庫）

どのような人生を送ってきたら、こんな物語を生み出せるのだろう。著作を読むたびに、そう思わずにはいられない作家がいます。村田沙耶香さんです。『コンビニ人間』で芥川賞を受賞し、同作は百万部を超える大ベストセラーとなりました。

僕は村田さんの小説に魅了され、これまで刊行された小説は一冊残らず読んできました。すべてを紹介したいところではありますが、そういうわけにもいきません。本書で紹介する村田沙耶香作品は、苦渋の選択の末、『殺人出産』を選びました。これは、「十人産んだら、一人殺せる」という世界を描いた小説です。

今の時代、子どもを産むまでのルートは、複数あります。とはいえやはり、恋をして、結婚をして、夫婦の営みを経て妊娠し、出産する——この流れが最も多いのではないでしょうか。

しかし、この物語の世界では、どうにも様子が違うのです。


まず、避妊技術や人工授精の技術が発達したことで、偶発的な出産がなくなりました。そして、人口減少が急激に加速したのです。その対策として、打ち出されたのが「殺人出産システム」、十人産めば一人殺すことを許される制度です。「殺意」という大きな感情を利用して、次の命を生み出すきっかけを作ろうとしたわけです。

それを行う人は「産み人」と呼ばれ、敬意を集めます。なお、人工子宮の技術によって、男性でも出産が可能です。

この制度により、死刑が廃止されました。「産み人」としての正しい手続きを経ずして殺人を犯した者は、逮捕後、「産刑」という厳しい刑罰に処せられます。一生牢獄で子どもを産み続けなければならないという重罰です。

死刑のように、死で死を成敗するなど、非合理的です。命を奪ったものは、命を生み続けるべきなのです。

この物語の主人公は、「産み人」の姉をもつ女性です。彼女は、姉が「産み人」であることを隠しながら生きています。姉はなぜ「産み人」となったのか、そして十人産んだ末に誰を殺そうとしているのか……。

極めて冷酷で、想像すら追いつかない世界です。初めて読んだとき、「村田沙耶香さんの頭の中は、一体どうなっているんだろう」と、尊敬と戦慄の入り混じった複雑な気持ちになりました。

この小説で描かれている世界は、異常な社会だと思います。しかし、なぜかそこに、神秘も感じるのです。読み進めるのが辛くなるような描写もあるのに、どこか美しささえ漂っています。

いや、そもそもこの物語を「異常」だと思っていること自体、常識に縛られ、価値観が凝り固まっている証なのかもしれません。

最後に質問です。

あなたには、十回の出産と引き換えにしてでも、奪ってやりたい命はありますか？

28

二十五年以上、イギリスで上映禁止になった映画のバイオレンスな原作小説

『時計(とけい)じかけのオレンジ』――アントニイ・バージェス、乾信一郎(いぬいしんいちろう)訳(ハヤカワepi文庫)

映画を観て影響を受けた若者たちが、映画のシーンを模倣して暴力事件や殺人事件を起こしてしまった、そんな問題作をご存じでしょうか。スタンリー・キューブリック監督作品『時計じかけのオレンジ』は、その強烈な影響力が危険視され、イギリスでなんと二十五年以上もの間、上映禁止という措置がとられていたのです。僕も観てみましたが、狂暴でグロテスクで、自分の中の狂気と暴力性を呼び覚ますような作品だと思いました。

そんな凄まじい映画にも、原作となった小説が存在します。それが、今回ご紹介する『時計じかけのオレンジ』です。

僕は、原作小説を読む前に映画のほうを観ていました。映画は視覚的に訴えてくるので、見ていられないほど苦しかったのですが、精神的には小説のほうがずっと辛かっ

たです。同時に、非常に稀有な読書体験だったと、今でも思います。

主人公の十五歳の少年、アレックスは、平凡な毎日にうんざりしていました。彼の心を満たしてくれるのは、〝超〟がつくほどの暴力だけです。仲間と共に夜の街をさまよい、犯罪とされる行為はすべてやってのけるほどでした。その内容は、言葉にするのも躊躇(ためら)うほどに極悪非道なものばかりです。しかしそんな彼も、警察からは逃れられずに逮捕されてしまいます。

常に強い刺激を求め続けるアレックスが、刑務所での窮屈な生活に我慢できるわけがありません。とにかく、早く刑務所から抜け出したい一心だったのです。

ある日、アレックスにとって興味深い提案が持ちかけられます。それは、「刑期の大幅な短縮と引き換えに、ある治療の被験者になる」というものでした。一日も早く刑務所から出たいアレックスは、迷うことなく引き受けることにします。

その治療は「ルドビコ法」と呼ばれ、精神コントロールによって暴力を無理やり抑え込むものでした。ルドビコ法は背筋も凍る、思い出すだけでもぞっとしてしまうような治療法です。そんな治療を受け続けるアレックスは、心身ともにやつれていくのです。

そこからアレックスが改心して——というような話だけではありません。実は、ルドビコ法は正当な医療行為ではなく、ある組織による恐ろしい計画に基づいて実行されていたのです。

この小説は、アレックスを視点にした独特な一人称で物語が進みます。その独特さは、ページを開けばすぐにわかるはずです。正直にいうと、読みづらく感じました。しかし、なぜか物語は鮮明に頭の中に入ってきて、これでもかというほどのバイオレンスな世界に引きずり込まれます。

また、アレックスは極悪人であるにもかかわらず、彼のユニークさには心を掴まれ、そのキャラクターに大きな魅力を感じました。彼の魅力を引き立てているのが、この読みづらい独特な一人称表現でもあるのです。

実際に読まないことには、この一人称表現の良さは伝わりません。最高にハラショー（ロシア語で「素晴らしい」）な読書体験を、お楽しみください。

第2章　引用文献

澤村伊智『一寸先の闇　澤村伊智怪談掌編集』第1刷、7ページ、2023年、宝島社
江戸川乱歩『人間椅子』（角川ホラー文庫）初版、8ページ・9ページ・12ページ、2008年、KADOKAWA
平山夢明『他人事』（集英社文庫）8刷、12ページ・13ページ・14ページ・16ページ、2017年、集英社
三津田信三『どこの家にも怖いものはいる』（中公文庫）初版、帯文・6ページ、2017年、中央公論新社
貴志祐介『クリムゾンの迷宮』（角川ホラー文庫）51刷、14ページ、2021年、KADOKAWA
芦沢央『汚れた手をそこで拭かない』（文春文庫）1刷、帯文、2023年、文藝春秋
近藤史恵『私の命はあなたの命より軽い』（講談社文庫）4刷、帯文・19ページ、2023年、講談社

COLUMN 2

「毒書家」にはなりたくない

もうずいぶん前のことになりますが、X（旧Twitter）で『君の膵臓をたべたい』（双葉社 住野よる 著）の感想をポストしている方がいました。累計発行部数が300万部を超える大ベストセラー小説で、映画化もされています。

この小説の感想ツイートに対して「今更こんな小説を読んでいるの?」という、明らかに馬鹿にしているような内容のリプライがついていました。それを目にした瞬間、僕は落胆の気持ちでいっぱいになりました。

僕自身、幼少期の読書体験はなく、読書歴はまだ浅いです。それでも読書を楽しいと感じていますし、小説を愛する気持ちに変わりはありません。だからこそ、こんなリプライを見ると、やるせない気持ちになってしまいます。

だいたい、何を読もうが、本人の自由です。何を、いつ、どのように楽しんだっていいのです。人の読書にケチをつけるなど、言語道断。そのような人は、どれだけ多くの本を読んできたとしても、読書家ではありません。「毒書家」です。

「若者の読書離れ」などと言われることもありますが、自分の考える「読書の正義」を周囲に強要し、新規読者にマウントをとるような人の影響もあって、読書の入り口が狭まっているのではないかと思います。もちろん、そんな人はごく一部であり、多くの読書家は、新しい仲間を歓迎しているはずです。

読書の中でも、特に小説はお堅いイメージがあるのかもしれません。しかし、読書は気軽に楽しむことができるエンターテインメントです。自分が好きな本を読めばいいし、自分のペースで読めばいい。小説だけでなく、エッセイだってビジネス書だって自己啓発書だって、どれも立派な読書です。

とにかく、人を傷つけるような否定的な読書マウントは許せません。

本の感想投稿サイトなどを見ていると、「こんな本は読まない方がいい」「評価している人の気が知れません」といったコメントを目にすることがあります。コメントの投稿者にとっては、その本がよっぽど合わなかったのでしょう。感想は人それぞれなので、仕方がないことです。だけど、周りを巻き込んではいけません。

読むか読まないかを決めるのは人それぞれです。自分には合わなかった本だったとしても、その本を大切に思う人は、きっとどこかにいます。それを「読まないほうがいい」などと否定するのは、あまりにもお門違いです。僕はこのようなコメントが、新しい読者を減らす要因の一つになっていると考えています。

と言いつつも、僕自身が「毒書家」になってしまう可能性が、ゼロではありません。そのときは、遠慮なく言ってやってください。

「お前みたいな毒書家にはなりたくない！」と。

第3章

言葉を失う物語

―衝撃的な読書体験をしたい方へ―

29-32

この四冊さえ押さえておけば、ミステリーがより楽しくなる

『そして誰もいなくなった』――アガサ・クリスティー、青木久惠訳（クリスティー文庫）
『ABC殺人事件』――アガサ・クリスティー、堀内静子訳（クリスティー文庫）
『アクロイド殺し』――アガサ・クリスティー、羽田詩津子訳（クリスティー文庫）
『五匹の子豚』――アガサ・クリスティー、山本やよい訳（クリスティー文庫）

アガサ・クリスティーの名前は、普段、小説をさほど読まない方でも一度は耳にしたことがあるのではないでしょうか。いまや国民的作品ともいえる『名探偵コナン』に登場する阿笠博士は、アガサ・クリスティーの名前からとられたものだと考えられています。

クリスティーの作風は非常に多彩です。今もなお読み継がれており、翻訳権を持っている早川書房では「クリスティー文庫」というレーベルがあるほど、多くの人々に愛されています。

そんな彼女の描く物語の中でも、特に優れているのは、やはりミステリーです。あっと驚かされるトリックや、読者を唸らせるような犯行動機の作り方など、世のミステリー好きを虜にしてきました。

短編まで入れると二〇〇以上あるクリスティー作品の中でも、特に読んでほしい小説が『そして誰もいなくなった』『ABC殺人事件』『アクロイド殺し』『五匹の子豚』の四作品です。この四冊さえ読めば、これから先に読むミステリー小説を、より楽しめるようになると思います。

ネタバレになりかねないので内容に言及できないのがもどかしいですが、四作品それぞれに異なるミステリー手法が使われています。

その中でも、どんな手法が使われているかを知っていても問題のない、『そして誰もいなくなった』を中心に紹介させてください。この小説で使われているミステリー手法は「クローズド・サークル」と呼ばれるものです。「クローズド・サークル」とは、何らかの事情で外界との往来が絶たれた状況、あるいはそうした状況で起こる事件を扱った作品を指すミステリー用語になります。もちろん、クリスティーがこの小説を発表する以前から、「クローズド・サークル」が用いられた小説はありました。しかし、「クローズド・サークルの代表作を一つ挙げるとすれば？」とミステリーファンに聞いたら、その多くが、『そして誰もいなくなった』と答えることでしょう。

ミステリーとして優れていることはいうまでもありませんが、本作がここまで評価されているのには、他の理由も存在します。それは、後世の作家に多大なる影響をもたらしたことです。

今や「クローズド・サークル」が用いられた小説は珍しくありません。日本文学では『十角館の殺人』（綾辻行人 著）を筆頭に、多くの名作が生み出され、新作も次々と発表されています。それらの素晴らしい作品において、着想・アイディアの源泉の一つとなっているのが、『そして誰もいなくなった』なのです。

また、クリスティーが確立させたといっても過言ではないミステリー手法は、「クローズド・サークル」だけではありません。僕は、『ＡＢＣ殺人事件』『アクロイド殺し』『五匹の子豚』のそれぞれの作品に使われているミステリー手法が該当すると考えています。『五匹の子豚』には、「回想の殺人」と呼ばれるミステリー手法が使われています。また、『ＡＢＣ殺人事件』『アクロイド殺し』には……。ここから先は、実際に読んで確かめてください。

僕はあくまで娯楽として楽しむ立場ですが、これらの作品でミステリー手法を学んだおかげで、読書がより楽しくなりました。もしかすると、みなさんが好きなミステリー小説の中にも、アガサ・クリスティーの影響を受けて書かれた作品があるかもしれません。

最後に、四作品の簡単なあらすじをご紹介します。


『そして誰もいなくなった』

ある孤島に招かれ、集まった十人の男女。面識もなければ、職業も年齢もばらばらの彼らには、共通点が全く見つかりません。さらに、その孤島には、招待主がいなかったのです。

そんな孤島で、次々と起こる殺人事件。この殺人には、恐ろしい法則性がありました。不気味な童謡の歌詞をなぞるかのように、一人ずつ殺されていくのです。

犯人は一体誰なのか――。

タイトルに繋がる、驚愕のラストをご堪能ください。

『ＡＢＣ殺人事件』

エルキュール・ポアロ・シリーズの十一作目。

名探偵ポアロの元に、「ＡＢＣ」と名乗る者から挑戦状が届きます。それは連続殺人事件の幕開けを告げるものでした。共通点のまるで見つからない人たちが狙われ、次々と殺されていきます。唯一の手掛かりは、ある法則でした。犯人は必ず、アルファベットのＡＢＣの順番で犯行場所を予告し、場所と同じ頭文字の人間を狙うのです。

犯人の目的が見えずに進むミステリーの結末に、目一杯驚いてください。


『アクロイド殺し』

エルキュール・ポアロ・シリーズの三作目。クリスティーが本作を発表した当時、界隈は、物語の結末をめぐって物議を醸したそうです。

書斎で死亡した、ロジャー・アクロイドを殺害した犯人を追う形で物語は進みます。この事件には、いくつかの不可解な点がありました。特に大きな謎になっているのは、容疑者であるラルフが姿を消したことです。

これ以上の情報公開は、控えておきます。犯人が判明したとき、僕は声を出して驚きました。そして、最後の結末にも……。

『五匹の子豚』

エルキュール・ポアロ・シリーズの二十一作目。僕はこの小説を、「回想の殺人」における、最高傑作だと思っています。

十六年前に起こった毒殺事件。容疑をかけられた女性は、獄中で亡くなりました。しかし、彼女の娘はポアロに言うのです。母は無実だった、と。

ここから物語は、事件当時の関係者である人々の証言を元に、真相を紐解いていく形で進みます。登場人物がそれなりに多い小説なのですが、それぞれのキャラクターが立っており、だからこそ全員が怪しく思えてしまいます。

犯人当てが得意な方は、ぜひ挑戦してみてください。きっと当たりませんから。

33

復讐はどこまで許容されるのだろうか

『ちぎれた鎖と光の切れ端』――荒木あかね（講談社）

復讐は、どこまで許されるのでしょうか。自分自身、あるいは大切な人が受けた被害以上の仕返しをしてもいいと思いますか？　もし、それが殺しであったらどうでしょうか。

「目には目を」という言葉があります。古バビロニア王国のハムラビ法典に書かれている言葉です。目を潰されたのであれば、相手の目を潰すことで応報する――受けた害と制裁のつり合いをとる「同害報復」という考え方です。

もしあなたが、復讐せずにはいられないほどの仕打ちを受けた場合、同程度の報復だけで相手を許すことはできますか？

今回ご紹介する『ちぎれた鎖と光の切れ端』のテーマの一つに「復讐」があると考えています。また、ある作家へのリスペクトも感じられる、そんな長編ミステリー小説です。

物語の舞台は、島原湾に浮かぶ孤島、徒島にある海上コテージ。電気もガスも通っていません。そこに、八人の男女が集まりました。この物語は、そのうちの一人、樋藤清嗣(ひとうきよつぐ)の視点で描かれています。

八人は社会人になっても仲が良く、徒島には楽しいキャンプに来ていたのです。しかし、樋藤だけこの島を訪れた目的が、他のメンバーとは違いました。ある人の無念を晴らすために、孤島に集まったメンバーを皆殺しにする——そう決意していたのです。樋藤は徒島に毒を持ち込んでいました。さらには、外部との連絡手段を完全に断つために、島に一つだけある電話ボックスのコードを切ってしまったのです。

ところが、予期せぬ事態が起こります。樋藤が計画を実行する前に、他の誰かによってグループの一人が殺されてしまったのです。

殺害は一件だけでは終わりませんでした。一人、また一人と、何者かがメンバーを殺めていきます。その順番には、とある法則性がありました。

復讐の邪魔をする奴は、この中の誰だ？　樋藤は犯人を突き止めるべく独自の捜索を始め、ついに犯人を——と、物語が結末に近づいていく予感をもたせた紹介をしていますが、実はこの一連の孤島の連続殺人は、「第一部」の断片的なものに過ぎません。

物語は二部構成になっているのです。

続く「第二部」では、「第一部」とは場所も時間も異なる、別の事件が発生し、それを追う形で進んでいきます。全く関係がなさそうに思える二つの事件ですが、後に複雑に絡み合っていき、そして、一つの真相が明らかになるのです。

読後は、『ちぎれた鎖と光の切れ端』というタイトルに、思わず頷きました。「ある作家へのリスペクトも感じられる」と前述しましたが、その作家とは、アガサ・クリスティーです。

孤島で起こる事件は、『そして誰もいなくなった』を彷彿とさせるミステリー手法「クローズド・サークル」が使われています。そして、第二部で起こる事件には、『そして誰もいなくなった』とは別のクリスティーの人気作で使用されたミステリー手法が用いられています。

著者の荒木あかねさんは「Z世代のクリスティー」の異名を持つ作家です。その二つ名がぴったりだと思わせるミステリー小説でした。デビュー作『此の世の果ての殺人』は、一作目とは思えない強いインパクトをもたらしましたが、二作目となる『ちぎれた鎖と光の切れ端』は、大幅にパワーアップしていたと思います。

34-35

けんごを読書の沼に引きずり込んだきっかけの二冊

『火車』――宮部みゆき（新潮文庫）
『ゴールデンスランバー』――伊坂幸太郎（新潮文庫）

僕が初めて読んだ小説は、『白夜行』です。東野圭吾さんが描く、亮司と雪穂の秘密だらけの壮絶な人生を描いた大作に、胸を打たれました。そして、文章だけでここまであざやかに表現される「小説」そのものに強く惹かれたのです。

このような感動的な読書体験をしたら、他の小説も読んでみたいと思うのは、当然のことでしょう。ただ、この時点では『白夜行』しか読んだことがありませんでした。次に読む作品によっては、もしかしたら、小説に対してここまでに強い思い入れが生じることはなかったかもしれません。

今回は、『白夜行』で小説に興味をもちはじめた僕の心を見事に鷲掴みにし、読書の沼に引きずり込んだ二冊を紹介させてください。『火車』と『ゴールデンスランバー』

です。

多少なりとも小説に親しんでいる方であれば、宮部みゆきさんと伊坂幸太郎さんのお名前はご存じだと思います。言わずもがなのベストセラー作家であるお二人の小説は、ドラマや映画など、多数映像化されており、そちらも大ヒットしています。小説は読んだことがなくても、その作品を知っている方は少なくないはずです。

恥をしのんで告白しますが、当時の僕は、宮部さんと伊坂さんのことすらも知りませんでした。僕が二冊目と三冊目にお二人の小説を選んだのは、インターネットで「面白い小説」と検索してヒットしたからです。一冊目の『白夜行』は、なんとなく選んだ作品でしたが、当時は自由に使えるお金も少なかったため、二冊目以降の選書は慎重になっていたのです。今思えば、図書館や古本屋を利用すればよかったのですが、なぜか当時はそのことがすっかり頭から抜け落ちていました。ともかく、「面白い小説」でヒットした二作品は、『白夜行』に引けをとらない傑作で、僕はまんまと小説というエンターテインメントの虜になってしまったのです。


まずは、宮部みゆきさんの『火車』をご紹介します。初版発行年が1992年なので、もう三十年以上前に発表された作品です。今と時代背景こそ違うものの、そのストーリーには、全く古びた印象を受けません。それどころか、キャッシュレスが主流となった現代にこそ、読まれるべき作品ではないかと思うのです。

ことの発端は、人探しの依頼でした。怪我により休職中の刑事・本間俊介は、栗坂和也という男から個人的な依頼を受けることになります。栗坂は、三年前に他界した本間の妻・千鶴子の親戚です。つまり、本間にとっては遠縁ということになります。依頼内容は、結婚間近だった栗坂の婚約者・関根彰子が失踪したため、その居場所を突き止めてくれないか、というものでした。

本間は怪我した体に鞭を打って、彰子の捜索を始めます。まず当たってみたのは、彼女の勤め先でした。訪ねてみると、彰子は無断欠勤が続いていると言われます。結局、手がかりは掴めぬままでした。残っている手がかりは、以前、彼女が金融機関やクレジットカード会社に多額の借金をし、自己破産をしていたことだけです。

しかし、物語が進むごとに、そのわずかな手がかりから、彰子の闇の部分が徐々に浮かび上がってきて――ただの失踪事件と思われていたこの捜索依頼は、想像を絶する真相に繋がっていたのです。

ミステリーとして優れていることはもちろんですが、何よりも借金の恐ろしさを痛感させられました。今やクレジットカードだけでなく、スマホ一つで決済も簡単にできる時代です。そういった意味でも、今こそ読まれるべき小説だと思います。

山本周五郎賞にも輝いた、社会問題を取り扱う傑作ミステリー小説です。ラストシーンについては、人によって大きく解釈が分かれるかもしれません。


続いて、伊坂幸太郎さんの『ゴールデンスランバー』をご紹介します。『火車』同様、この小説も600ページをゆうに超える大作です。それまで一冊も小説を読んだことのなかった僕が、『白夜行』から連続して三作もの大長編を選んだなんて、我ながら不思議に思います。しかし、挫折することなく最後まで心から楽しんだということが、この三作品がいかに優れた小説なのかを示しているのではないでしょうか。

『ゴールデンスランバー』は第五回本屋大賞受賞作であり、『火車』と同じく、山本周五郎賞も受賞しています。さらには「このミステリーがすごい！」の一位にも選出されており、その凄さを語るまでもなく評価の高いエンターテインメント小説です。

物語は、新首相・金田（かねだ）の仙台凱旋パレード中に起こった、ラジコンヘリコプターを使った爆破テロから始まります。大混乱に陥った現場は、即封鎖。警察によって犯人捜索が始まったと思ったら、あっという間に容疑者が特定されました。

容疑者の名は、青柳雅春（あおやぎまさはる）。さまざまな要因が重なり容疑者となった青柳は、メディアで大々的に取り上げられたことも相まって、首相暗殺事件の犯人だというレッテルを貼られてしまいます。

しかし青柳は、全くの潔白だったのです。自分が犯人だと報道されている理由がまるでわかりません。完全なる濡れ衣なのです。

ここから青柳による、決死の逃亡劇が始まります。どうして彼は濡れ衣を着せられているのか、彼の過去には何があったのか——そこには、大きな陰謀が関係していたのです。

タイトルには、かの有名なロックバンドである「ビートルズ」の曲名が用いられています。これは、物語にも大きく関係しています。この小説を読み終えた後、きっと、「ゴールデン・スランバー」を聴いてみたくなるはずです。ちなみに、堺雅人（さかいまさと）さん主演の映画化作品も素晴らしいので、ぜひ合わせてお楽しみください。

『白夜行』から始まり、小説に対する情熱に火をつけた二作品『火車』と『ゴールデンスランバー』をご紹介しました。思い返せば、小説を好きになるべくして好きになったラインナップだと思います。これらの作品を最初に選んだ当時の自分を、褒めてあげたいです。

36

ノーヒントで百億通りを超えるパスワードを当てなきゃ終身刑同然

『11文字の檻　青崎有吾短編集成』——青崎有吾（創元推理文庫）

明治大学在学中に第22回鮎川哲也賞を受賞し、『体育館の殺人』でデビューした青崎有吾さん。その後『水族館の殺人』『風ヶ丘五十円玉祭りの謎』『図書館の殺人』と続く物語は、裏染天馬シリーズとして絶大な人気を誇っています。また、2023年に『アンデッドガール・マーダーファルス』がアニメ化されるなど、いま最もホットなミステリー作家の一人だといえるご活躍です。

そんな青崎さんは「平成のエラリー・クイーン」の異名をもっています。今回ご紹介する作品は、デビュー10周年を記念した全八編の短編小説集『11文字の檻』です。

本格ミステリーからSF、アニメ化もされた漫画作品の公式二次創作や、百合をテーマにした小説、さらにはJR福知山線脱線事故を題材にした小説など、ジャンルを問わず幅広いストーリーが楽しめる一冊となっています。

どの作品も夢中になって読みました。ただ、一作品だけ、明らかに別次元だと思うほどの衝撃的な小説が収録されていたのです。それが表題作「11文字の檻」です。

主人公である縋田（すがた）という男が目覚めると、白い天井が目に入りました。どうやら無機質で質素な部屋にいるようです。そこには、頭は丸刈りで、素朴な顔立ちをし、黒縁眼鏡をかけている男がいました。その男は「飛井（とびい）」と名乗ります。

縋田が部屋を見渡した次の瞬間、ぼんやり残っていた眠気が、一気に吹き飛びました。ガラス以外の三方向の清潔感のある白い壁面が、びっしりと文字で埋め尽くされていたのです。何の落書きだろうかと思っていた縋田に、飛井が、これはメモ欄であることを説明します。縋田がいるこの場所は、収容所なのです。

物語の舞台は、言論統制の敷かれた架空の国です。彼らは国家から思想犯とみなされ、この施設に収容されています。

飛井は入所してもう三年が経つと言います。一ヶ月ごとに部屋が変わりますが、ルームメイトは固定です。長く収容される囚人の中には、自死を選ぶ者もいるのだと、どこか愉快そうに飛井は説明します。そして、欠員が出ると、縋田のように新入りが補充されると言うのです。

壁面が文字で埋め尽くされている理由、それは、この収容所から出る方法にありました。唯一、ここから解放される方法が存在するのです。それが、「パスワード当て」になります。

それは、ほぼノーヒントで、ひらがな・カタカナ・常用漢字を組み合わせた合計11文字のパスワードを当てろ、というものでした。飛井が計算したところ、百億通りはゆうに超えているということです。そしてさらに、解答権は一人あたり一日一回に限定されています。

どう考えても無理です。無理に決まっています。しかし、パスワードを当てる以外に、この場所から脱出する方法は存在しないのです。

ただ、過去に一人だけ、パスワードを当てられた人物がいると飛井は言います。縋田らは、わずかな糸口からパスワードを導こうと頭を働かせるのですが、その結末は思いがけないものでした。

短編小説とは思えないほどの密度の物語です。これだからミステリーを読むのはやめられないと、思わず唸ってしまう、珠玉の一編でした。

37

一冊でさまざまなミステリーの形を味わえる欲張り小説

『赤ずきん、旅の途中で死体と出会う。』──青柳碧人（双葉文庫）

赤ずきんが探偵役の、童話をモチーフとしたミステリー『赤ずきん、旅の途中で死体と出会う。』は、2023年にNetflixで実写映像化もされている、ベストセラー小説です。

四章立ての連作短編集で、それぞれの話に、ベースとなる童話が存在します。『シンデレラ』『ヘンゼルとグレーテル』『眠り姫』『マッチ売りの少女』、そして、本作の主人公になっている『赤ずきん』と、童話では繋がりのなかったキャラクターたちが、ミステリーの世界でまさかの交わりを見せるのです。

物語は、ある目的のために「シュペンハーゲン」を目指す赤ずきんが、道中で起こるさまざまな難事件を解決しながら進みます。例えば、第一章では、シンデレラとかぼちゃの馬車に乗って舞踏会へ向かう途中、不可解な殺人事件が起こるのです。その事件の真相を、赤ずきんが中心となって解き明かします。

本作の魅力は、大きく分けて三つあります。

一つ目は、連作短編集であることです。人によって好みが違うので一概には言えませんが、僕は連作短編が最も読みやすい物語の形であると考えています。というのも、僕のSNSでも「読みやすい」という評価が集まる小説は、連作短編集であることが多いからです。各章が独立しているのに、繋がりがある驚きは、連作短編特有の楽しみでもあります。

二つ目は、さまざまなミステリーの形を味わえることです。ネタバレ防止のため、内容へはあまり踏み込みませんが、前述した第一章では、王道の推理小説のような展開が待ち受けています。続く二章は、物語の冒頭から犯人がわかっており、犯人目線でも語られる「倒叙ミステリー」という手法が使われているのです。このように、一冊を通してミステリーの良さを贅沢に味わうことができます。

三つ目は、童話の世界観を守りながらも、あくまでフェアな謎解きがされることです。僕は、ミステリーに求められている条件の一つに、「腑に落ちる謎解き」があると考えています。無理がある、これはアンフェアだ、と思うポイントが多ければ多いほど、ミステリーを読む読者の熱は冷めていくものです。この小説では、たびたび魔法が使われます。極端な話、魔法を多用すれば、物語における事件は、無理やりにでも解決できるのです。しかし、それではアンフェアになってしまいます。かといって、全く魔法を使わないというのも、童話をモチーフにした意味合いが薄まってしまいます。その絶妙なラインを守りつつ、世界観を崩さないように物語を成立させているのが、『赤ずきん、旅の途中で死体と出会う。』です。これは、本作の最大の魅力といえるでしょう。

読後にまず思ったのは、この小説は読書の輪を大きく広げる可能性を秘めている、ということです。読みやすいのはもちろん、ミステリーとしての驚きの仕掛けも用意されており、小説を初めて読む方でも、十分楽しめるのではないかと思います。

赤ずきんが「シュペンハーゲン」に向かう理由、その場所で一体なにが起こるのか、そして、旅の途中で起こる難事件の数々を、本作でぜひお確かめください。

38

犯人も被害者も全員同じ名前の前代未聞の小説

『同姓同名(どうせいどうめい)』——下村敦史(しもむらあつし)(幻冬舎文庫)

このミステリー小説の犯人は、「大山正紀(おおやままさのり)」です。

僕は今、まだ読んでいない人に犯人の名前を公開するという、ミステリーにおける最大のタブーを犯しました。「なんてことをしてくれるんだ！」と憤慨されて当然です。ところが、この小説に限っては違います。犯人の名前を明かされたところで、一切ネタバレにならないのです。

これまで読んできた小説の中にも、同姓同名の登場人物が登場する話はありました。しかし、十人以上の登場人物が同じ名前の小説というのは、さすがに初めての経験です。まさに、前代未聞という言葉がぴったりだと思います。

物語は六歳の女の子が殺害されるところから始まります。その殺害方法が極めて残忍であり、女の子の遺体は、頭部と体が首の皮一枚で繋がっている状態で発見されました。

捕まった犯人は、なんとまだ十六歳の少年です。猟奇的な事件を起こした犯人を、世間が許すはずありません。少年法で守られている犯人に対して「実名を公開しろ」という声が、SNSで無数に上がります。

そしてついに、あることをきっかけに犯人の名前が流出してしまうのです。彼の名は、「大山正紀」。その名前は、瞬く間に拡散されていきました。

話はこれだけでは終わりません。猟奇殺人犯である本人だけが苦しめば良かったのですが、予想だにしなかった二次被害が起こってしまいます。大山正紀という凶悪犯の名前が判明し、拡散されたことによって、事件とは全く関係のない同姓同名の「大山正紀」たちが、深刻な被害を受けることとなるのです。

サッカーの推薦がほぼ決まっていた高校生の大山正紀は、報道後、途端に推薦枠から外されてしまいました。他にも就職の内定を取り消されてしまった大山正紀、いじめに遭った大山正紀——何も悪いことをしていないのに、同姓同名であるというだけで、人生の歯車が修復できないほどに狂ってしまったのです。

あれから七年、同姓同名だということで被害を受けた大山正紀たちに、またしても試練が訪れます。刑期を終えた大山正紀が、社会に戻ってきたのです。事件を忘れかけていた世間が、再び大きく騒ぎ立てます。もちろんこれは、無実の大山正紀たちが、大きな被害を受けることを意味するのです。

この先、大山正紀たちの人生は一体どうなってしまうのでしょうか。

読む前からこれだけ期待が高まる設定のミステリー小説はなかなかありません。一点だけ注意事項をお伝えするなら、大山正紀だらけの物語なので、読んでいる途中に混乱します。ただ、その混乱すらも、この小説の「鍵」になっているのです。

小説だからこそ味わえる前代未聞の読書体験を、ぜひ『同姓同名』で堪能してください。

39

紙の本だからこそ味わえる小説の新たな可能性

『N(エヌ)』——道尾秀介(みちおしゅうすけ)（集英社）

一冊で720ものストーリーを楽しめる型破りな小説をご存じでしょうか。720の話が収録された短編小説集ではありません。章同士の繋がりのある連作短編集であることは間違いありませんが、この作品は720通りには程遠い、たったの六章構成の物語なんです。

なぜ、たった六章の物語が720通りにもなるのでしょうか。その答えに気づいた鋭い方は、きっと数学が得意な方なのだと思います。

720とは、6の階乗、1から6までの自然数を掛け合わせた数です。

6！＝6×5×4×3×2×1＝720

これは、数学の「順列」を表しています。つまり、A・B・C・D・E・Fの六つすべてを一列に並べるとき、並べ方の総数は何通りあるか、ということです。

何が言いたいのかというと、この小説は、六つの話に繋がりはあるものの、その並び方には決まった順番が存在しないのです。

収録されたどの話から読んでも、どの話を間に挟んでも、どの話を最終話にしても、物語の筋が通り、必ず完結します。どのパターンで読むかは、あなた次第ということです。

それだけではありません。普通は小説を読むとなると、当然ですが前から順番に読んでいきますよね。ということは、一章の次は二章と、章同士に物理的な繋がりができてしまうということになります。

この小説は、どの順番で読んでも完結する特性があるので、物理的な繋がりをなくすための配慮として、とある仕掛けが施されているのです。なんと、一章ごとに、上下反転して印刷されています。つまりこのままの向きで読む章もあれば……

本自体をひっくり返して読む章もあります。

タイトルに使われているアルファベットの「N」も、上下反転しても「N」のまま読むことができます。

なんと意欲的で挑戦的な小説なのでしょうか。刊行前から大きな話題を呼んでいた本書を、僕も半信半疑のまま手に取りました。手に取ってページを開いたときの衝撃と感嘆は、今でも覚えています。書籍の電子化が進んでいますが、紙の本であることの新たな価値を発掘したとも言えるでしょう。

肝心の物語ですが、「さすがは道尾秀介さん」と唸りたくなるほど上質なミステリーでした。ややダークな雰囲気の物語ではありますが、読む順番を変えることで、さらに重たくなったり、爽やかになったり。同じ物語を読んでいるはずなのに、読後感が大きく変化します。

ちなみに、僕はまだ四通りしか読めていません。720通りすべてを読み終えた読者は、この世にいるのでしょうか……。

40

特定の文字が制限された怪奇的な小説

『りぽぐら！』――西尾維新（講談社文庫）

アニメ化もされた『化物語』『偽物語』などの「物語シリーズ」で知られている西尾維新さんは、多くの読者に支持されている人気作家です。ストーリーの展開だけでなく、ユーモア溢れる巧みな言葉遊びも高く評価されています。僕は普段、ストーリーラインを楽しむ派の読者です。しかし、西尾さんの小説を読むときは、独特な文章も同時に楽しんでいます。

また、西尾さんの作品は非常に多彩です。挑戦的な小説を、これまでに何作も刊行されてきました。優れたミステリーでありながら狂気的な世界観を描いた『きみとぼくの壊れた世界』、フィクションなのかノンフィクションなのかがわからなくなってしまう『少女不十分』など、どれも西尾さんでなければ生み出すことのできない、唯一無二の物語ばかりです。

数多の作品の中でも、「頭の中、どうなってるんだ……」と思わず引いてしまった小説が、今回ご紹介する『りぽぐら！』です。

「リポグラム」をご存じでしょうか。何らかの文字を制限し、それを一切使わずに文章を書く言葉遊びの一種です。本作は、リポグラムのルールを用いて書かれています。この時点で、すでに難度が高いのは説明するまでもありませんが、『りぽぐら！』では、さらに複数の縛りが設けられているのです。

『りぽぐら！』には、三編の短編小説が収録されています。しかし、それだけではありません。一編ごとに、ストーリーの変わらない話が五つも収録されているのです。つまり、三編×五＝十五話が書かれているということになります。

ここからが驚異的なのです。三編とも、一つ目の物語は、何の縛りもなく書かれています。しかし、残りの四つは、特定の文字が制限されているのです。

〈禁止ワード例〉

一つ目—制限なし

二つ目—あおきけちなにぬれろ
三つ目—こしすせひまゆらるわ

数文字の制限をつけているわけではなく、それぞれ異なる十文字を使わないようにしながら、物語を成立させているのです。常人には理解できない領域の執筆テクニックです。驚きはまだ終わりません。一編目と二編目は、〈ベースとなる物語〉+〈リポグラム小説〉なのですが、三編目は少々違います。なんと、さらに高難度の制限が設けられているのです。

ここから先は、実際に『りぽぐら!』を手に取って確かめてください。物語を楽しむ以上に、こんなに難しいことをやり遂げてしまった西尾維新さんに、敬意の気持ちが止まらなくなる一冊でした。文章そのものを楽しみたい方には、絶対的におすすめできる小説です。

41

読書体験の新境地を味わえる名作（迷作）

『小説の小説』 ——似鳥鶏（KADOKAWA）

本書でもいくつか変わった小説を紹介してきましたが、どうやら僕は、王道から外れた小説に強い魅力を感じるようです。尖った設定の物語が好きで、『N』（道尾秀介著）や『りぽぐら！』（西尾維新 著）のような挑戦的な小説を見かけると、とりあえず読んでみようと手を伸ばしてしまいます。

今回は、変な小説代表として、『小説の小説』をご紹介させてください。もちろん、最大の敬意を込めて、「変な小説」と述べています。

この小説は、いつもお世話になっている書店員の女性が、「もの好きなけんごさんなら、絶対に気に入ると思います」とすすめてくれました。ちなみに彼女は、少なく見積もっても僕の数倍は本を読んでいて、僕以上に奇体な小説好きです。『腿太郎伝説〈人呼んで、腿伝〉』（深堀骨 著）という凄まじい小説があるのですが（内容を調べる際には、覚悟してください）、この小説を2023年ベストに選ぶような強者なのですから……。

そんな方から興奮気味に紹介された『小説の小説』は、メタメタのメタ・フィクションでした。本の「カバー」にこれほどまで仕掛けが施された小説を、僕は他に知りません。本文に触れる前に、まずはカバーについて、二つ仕掛けをご紹介します。一つ目は、カバーの裏側にも物語が書いてあるところです。これに関しては、さほど驚かれないかもしれません。近年刊行されている小説には、アナザーストーリーのような物語が、カバー裏に掲載されている小説も少なくないためです。

僕は、二つ目の仕掛けに驚愕しました。その仕掛けは、本についている帯に施されています。少なくとも僕がこれまで読んできた小説の中には、このような形の帯をつけた本は、ほかにありませんでした（『小説の小説』を読んだ以降、一冊だけ見つけました）。どのような帯なのかは、実際にお手に取って確かめてください。

さて、肝心の物語なのですが、四編が収録された短編小説集となっています。とはいえ、物語そのものを楽しみたい方には、あまり強くおすすめすることはできません。

本作は次のような、著者による「まえがき」から始まります。

たいへん僭越ながら、この本はまえがきから入らせていただきます。どうしてかと申しますと、本書は「メタ・フィクション」という、一部のオタク以外には覚えのないジャンルだからです。もちろん本書はメタ・フィクションを知らなければ楽しめない、というような作り方はしていないのですが、念のため。

なので、蛇足じゃ、知っとるわい、という方は読み飛ばして下さいますよう。

こんなふうに仰々しく説明をするとかえって難しいものに見えてしまうか、と迷う部分もあったわけですが、そのまま本編を始めてしまうと初見ではやはり戸惑いがちなジャンルです。なぜなら本書は「小説の約束ごとを利用した小説」というものだからです。

実は小説というものは、読者・作者間のたくさんの「暗黙の了解」の上に成りたっているのです。「、」でちょっと待って「。」で文が終わる。縦に読んでいって、下まで読んだら次の行の一番上に進む。当たり前に見えますが、例えばよちよち歩きの幼児はそんなことは知らず、大人に教えてもらって、ようやく本の読み方を覚えるわけです。途中で一行空いたら場面か視点が変わる。作中で特に何も断っていないなら、視点人物は「普通の人」で時代設定も現代。

ところが、よく考えるとそうした約束事は別に絶対でも強制でもないのです。それなら、約束事に従っていると見せかけて従っていなかったら。いつもは当然のことと決めつけているこれらの約束事が実は無視されていたら、どんな世界がひろがるか？　それがメタ・フィクションです。はい今の「ひろがる」はちょっとおかしいですね。なんで漢字で書かないんでしょうか。この文章自体変ですね。つい違う読み方を試してみたくなりますね。そういうことばかりやっている本です。なので、いつもとちょっと違った読書体験をお届けできると思っております。どうか気楽に楽しんでいただけますように。


これだけでは内容を想像することが難しいと感じる方がほとんどだと思いますので、今回は僕が特に気に入っている収録作「無小説」を紹介します。

「無小説」は、著者の似鳥鶏さんが一文字も書かずに完成させた物語です。といっても、ゴーストライターを使っているわけではありません。すでに混乱する設定ですよね。

小説には著作権が存在します。そして、その著作権には、期限があるのです。本書でも『人間椅子』(江戸川乱歩 著)を紹介した際に触れましたが、著作権が切れた多くの名作は、ウェブサイト「青空文庫」に掲載されています。「無小説」は、この青空文庫を使って作られているのです。つまり、青空文庫に掲載されている小説の文章を引用し、それらを繋ぎ合わせて作られたということです。『坊ちゃん』『走れメロス』『羅生門』をはじめとする数々の作品の文章をパッチワークのように繋ぎあわせ、一つの小説が構成されています。想像するだけで恐ろしくなるほど、労力のかかった作品です。

ほかの三編も、突然ルビが語り出すなど、とにかく唖然とする物語ばかりです。それぞれが未知の読書体験となります。

いつもとは違う、風変わりな読書をしたいときに、『小説の小説』をお手に取ってください。僕の大好きな、最高に変な小説です。

42

文章だけで構成される小説ならではの唖然とする読書体験

『しあわせの書　迷探偵ヨギガンジーの心霊術』――泡坂妻夫（新潮文庫）

読者の幸せのために
未読の人に「しあわせの書」の秘密を明かさないでください

これは、本作の一文目に書いてある文言です。さらには、僕が持っている26刷目の帯には、次のような文言が書かれています。

お願い。未読の人には、絶対に本書のトリックを明かさないで下さい。

もちろん、今からご紹介するにあたって、絶対にトリックは明かしません。小説に少しでも興味をお持ちの方には、ぜひ一度体験していただきたい、というか体験すべき衝撃的なトリックです。

まずは、ざっくりと物語を紹介させてください。二代目教祖の継承問題で揺れる巨大な宗教団体「惟霊講会（いれいこうかい）」に関わる者が、相次いで失踪、さらには死亡するという事件が発生しました。不思議な超能力を持つヨギガンジーが、この失踪事件を追っていると、布教のための小冊子「しあわせの書」に出会います。それは、桂葉華聖（かつらばかせい）という人物の著で、一ページが41字×15行の、よくある文庫本といった感じです。ただ、本のどこにも定価の表記がなく、奥付けに「非売品」とあることから、一般の方は対象にされていないことが推測できます。

事件を追うほどに謎が深まっていき、そして、「しあわせの書」との関連性が見え隠れしてきます。最後には、ミステリーとしての謎解きだけでなく、ある者による企みが判明してきて——。

本作の著者である泡坂妻夫さんの作品は、2009年に逝去された後も、多くのファンを魅了し続けました。ところが、泡坂さんは小説家としてだけでなく、マジシャンとしても活躍されていたという、非常に多才な方だったのです。それも、作家業のかたわら趣味としてマジックをしていたわけではありません。マジシャンとして、優秀なマジックの考案者に送られる「石田天海賞」を受賞されるほどの、実力の持ち主でした。泡坂さんが書かれる小説には、マジシャンとしての知見が、トリックとしてさまざまな形で込められています。

僕が本作と出会ったきっかけは、ある出版社の方に「小説を使ったマジックを披露してあげます」と言われたことでした。その方が本棚から取り出した一冊が、他ならぬ『しあわせの書　迷探偵ヨギ ガンジーの心霊術』だったのです。

唖然とするほどのマジックでしたが、なぜそんなことができるのか、全く理解が追いつきません。「タネについては、物語を読めばわかるよ」と言われ、僕はすぐさま購入し、あっという間に読了しました。物語に隠された真実を知ったときは、なるほどと震えたものです。

他にはない、かけがえのない読書体験になるはずです。そして、読後にはきっとあなたも、友達や家族に『しあわせの書　迷探偵ヨギ ガンジーの心霊術』を使ったマジックを披露したくなると思います。

43-44

映像化しようとするたびに人が亡くなる呪われた小説

『鈍色幻視行（にびいろげんしこう）』『夜果（よるは）つるところ』——恩田陸（おんだりく）（集英社）

『夜のピクニック』で吉川英治文学新人賞と本屋大賞をダブル受賞し、『蜜蜂と遠雷』では直木賞と二度目である本屋大賞をダブル受賞され、輝かしい実績を誇る恩田陸さん。ちなみに、2024年時点で本屋大賞を二度受賞されているのは、恩田さんと凪良ゆうさんのお二人だけです。

そんな、誰もが認めるベストセラー作家の恩田さんですが、2023年に、今までとは全く異なる、新しい形の小説を発表されました。それが、今回ご紹介する『鈍色幻視行』と『夜果つるところ』です。二ヶ月連続で刊行され、当時、大きな話題を呼びました。加えて、『鈍色幻視行』は、連載期間が十五年にも及んでおり（途中、何度か中断があったそうです）、まさにファン待望の小説といえます。

ご紹介する二冊は、ぜひともあわせて読んでいただきたいです。シリーズものではありませんが、物語同士が強く作用し合う、壮大なストーリー展開になっています。『鈍色幻視行』は、豪華客船に集められた十人の老若男女による、二週間にわたる謎解きの物語です。彼らは、ある一冊の小説に関わる人々でした。その小説こそが、『夜果つるところ』です。この小説は、〝呪われた小説〟と呼ばれています。映画化しようとするたびに、関係者が不可解な事故に見舞われるのです。

最初の事故は、映画の撮影現場で起こりました。原因不明の出火により、セットが燃えてしまったのです。この火事によって、一度目の映画化の話は立ち消えてしまいます。再び映画化の話が持ち上がり、撮影に入ったものの、今度は出演者が巻き込まれる事件が発生したのです。その後のドラマ撮影では、カメラマンが突然死、さらには、作者が失踪するという前代未聞の事件が起こりました。

三たび試みられた映像化でしたが、どの撮影も結局は頓挫してしまいます。これらの事件から、『夜果つるところ』は〝呪われた小説〟と呼ばれるようになったのです。ドラマ撮影中に失踪した『夜果つるところ』の著者の名は、飯合梓。彼女は、ミステリアスな雰囲気をまとっていました。北海道出身だと言われています。失踪から七年も経過していることから、彼女は死亡したとされていました。

　豪華客船に乗船していた関係者は、映画監督やプロデューサー、評論家や担当編集者など、どの人も創作に関わる曲者ばかりです。そんな彼らに取材をし、謎を解き明かそうと試みるのが小説家の蕗谷梢、この物語の主人公になります。彼女は、飯合梓と『夜果つるところ』に関する作品を書こうとしていました。梢は夫である蕗谷雅春に誘われて、夫婦で搭乗しています。

　飯合梓は一体何者なのか、彼女は本当に亡くなっているのか。撮影現場での事故や事件は、ただの偶然だったのか、それとも——。

　乗船している関係者たちはもちろんのこと、梢の夫である雅春も、『夜果つるところ』の事件と大きく関わっています。雅春の元妻は、この小説の映像化に携わった人物で、脚本の完成直後に自殺していたのです。

　物語が進むにつれて少しずつ謎が紐解かれていき、見え隠れしていた「真相」が明らかになっていきます。梢たちが過ごす豪華客船での長旅の先で、ぜひとも〝呪われた小説〟『夜果つるところ』の真相を、『鈍色幻視行』を読んで確かめてください。

　と、このような感じで紹介を締めたいところではあるのですが、実は、まだお伝えしなければならないことがあります。前述したように、『鈍色幻視行』と『夜果つるところ』は、二ヶ月連続で刊行されています。『夜果つるところ』は、作中小説として登場するだけでなく、実際に恩田陸さんご本人が書き下ろした作品なのです。「本格的にメタフィクションをやってみたい」という、恩田陸さんの意欲的な挑戦作になります。

『夜果つるところ』は、山の中の館で育てられた三人の母親を持つ「私」の話です。「私」には生みの親だけでなく、育ての親、名義上の親がいます。親子関係や血筋の問題、ジェンダー問題も絡まった、鮮烈な悲劇の物語です。

『夜果つるところ』には、恩田陸さんの他作品を複数冊読んでいる方ならすぐに気づく違和感があります。本作だけ、明らかに文体が違っているのです。実際の著者は、恩田陸さんです。しかし、これは同時に、飯合梓が書いた物語でもあります。つまり、恩田陸さんが飯合梓として書いた小説なのです。

本の情報サイト「好書好日」にて、書評家・ライターの杉江松恋(すぎえまつこい)さんによる、恩田さんへのインタビューには、次のように記されています。

飯合梓の作品ですから、文体も自分と意識して変えています。たとえば「!」や「?」

を使わないというように。

『夜果つるところ』には、本自体にも面白い仕掛けが施されています。カバーがリバーシブルになっており、裏側には、「飯合梓」という著者名が入っているのです。また、カバーの表と裏で、デザインが微妙に違っています。そのデザインも『鈍色幻視行』の謎解きに関わってくる……かもしれません。

二冊合わせて読むことで、壮大な長編小説がさらに深みを帯び、物語への没入感が際立つはずです。『鈍色幻視行』『夜果つるところ』の順番で読むことを、強くおすすめします。

45

圧倒的な描写力によって紡ぎ出される死体目線の物語

『少女架刑』――吉村昭（中公文庫）

吉村昭さんは、記録文学の第一人者であり、ノンフィクション小説や歴史小説を中心に、多くの名作を生み出しました。中でも、三毛別羆事件をモデルに書かれた『羆嵐』は、今なお読み継がれる、吉村さんの代表作といえます。この小説から吉村文学にのめり込んだ方も、少なくないはずです。

僕も例外なく、『羆嵐』から吉村さんの小説を読みはじめました。そこから枝分かれするように、さまざまな作品を読んできましたが、今回は吉村文学の中で最も衝撃を受けた小説をご紹介します。

『少女架刑』は、短編小説集となっています。ここでは表題作「少女架刑」を中心にご紹介しますが、他収録作も圧倒的な作品ばかりです。三島由紀夫氏が激賞した「死体」や、初の芥川賞候補作となった「鉄橋」など、吉村文学初期の名作七編が収録されています。

こんなに素晴らしい小説が一冊で七編も読めていいのだろうかと思うほどですが、その中でも、やはり表題作は際立っていました。

想像してみてください。もし、意識があるまま自分の身体が解剖されたら、一体どのような感覚になると思いますか？　まずは、頬にメスが、スッと入ります。そして、次々と肌が切り取られ、その後、腹が開かれるのです。

想像するだけでも痛い――しかし、痛みは感じません。解剖されているのは、死体だからです。そう、『少女架刑』は死体目線から語られる物語なのです。

語り手の死体は、まだ十代の少女。若くして亡くなった少女は、献体に出されることとなりました。献体とは、医学や歯学の大学における解剖実習に役立てるため、死後の身体を提供することを指します。

死後間もなく献体に出された少女の遺体は非常に状態が良く、解剖実習に参加する者たちに喜ばれました。この物語は、死体となった少女の目線で語られるため、研究者たちの様子や会話も描かれています。人の「死」という、本来悲しまれるべき事象を前に、意気揚々と解剖に取り組む研究者たちの様子には、狂気さえ感じました。

そこから、少女の身体が、次々と切り取られていって……という物語です。

注目すべきは、やはり少女目線で描かれる解剖の様子です。映像やイラストを使うことなく、文章だけで解剖される様をここまでリアルに描けるなんて、心の底から震えました。その生々しい描写を引き立たせるコントラストが、若くて状態の良い遺体に群がる研究者たちの様子です。

一文字一文字に「生」を感じる、「死」をテーマにした小説です。目を背けたくなるのに、目を離すことができない、どこか美しささえ感じさせる物語でした。

46

クイズとミステリーの奥深さを教えてくれた一冊

『君のクイズ』——小川哲（朝日新聞出版）

今回ご紹介する『君のクイズ』という小説をジャンル分けするとしたら、きっとミステリーに振り分けられるのだと思います。しかしながら、この小説に特定ジャンルのラベルを貼るのは、非常にもったいないことです。

『君のクイズ』はミステリーでありながら、ヒューマンドラマでもあります。あるいは、職業小説と呼べるかもしれません。スポーツ小説という解釈もできそうです。どうしても一つの言葉で言い表さなければならないとしたら、「人生」が相応しいような気もします。

生放送のテレビ番組『Q－1グランプリ』の決勝戦に挑む、主人公の三島玲央。決勝戦は、一進一退の白熱した展開を見せます。そしてついに、次の問題に答えられた者が優勝という局面まで進みました。たゆまぬ努力の末に、あと少し手を伸ばせば掴み取ることができる「優勝」の二文字。それに加え、賞金の一千万円も手に入ります。この一問を相手よりも先に正解すれば、大金が手に入ると思うと、弥が上にも緊張感は高まります。人生をも変えうる大金を目の前にして、早押しボタンに置いた三島の右手は軽く痙攣していました。

「次に行きましょう」

MCの合図により、スタジオ全体が静寂に包まれます。テレビの前の視聴者も固唾を飲んで見守っているはずです。

「問題──」

MCが問題を読みはじめようとした、次の瞬間のことでした。

パァン、早押しボタンが点灯する音が聞こえたのです。押したのは三島ではなく、対戦相手の本庄絆（ほんじょうきずな）でした。明らかに押し間違えです。まだ問題は、一文字も読まれていないのですから。生放送されている中、どうやっても擁護できない致命的な過ちです。それに加え、本庄はこの問題までに二回誤答しており、ルール上、この問題を間違えれば失格となります。誰もが三島の優勝を確信しました。

しかし、本庄は顔色一つ変えずに、答えを口にしたのです。極度の緊張で、頭がおかしくなったのでしょうか。しかし、そうではないようです。スタジオがざわつきます。そして、正解を示す「ピンポン」という音が鳴りました。

「勝者が決定しました。第一回『Q－1グランプリ』、栄えある初代王者は本庄絆です！」

MCの言葉を聞いて、ようやく三島は、事態を把握しました。目の前で広がる華々しい光景は、三島にとっては悪夢同然でした。

なぜ本庄は、一文字も読まれていないクイズに正解することができたのでしょうか。納得できない三島は、不正を疑います。しかし、本庄がクイズに正解できた理由は他のところにあったのです……。

僕にとってクイズは未知の領域でしたが、こんなに奥深いのかと強く感心しました。アスリートが身を削って努力するのと同様に、クイズに人生を懸けている人もいるのです。本作を読むと、クイズ番組の見方が一変すると思います。一気読み必至です。

47

シリーズ最新作であり、シリーズ最高傑作

『あなたが誰かを殺した』――東野圭吾（講談社）

東野圭吾さんといえば、本書の第四章でご紹介する『さまよう刃』、『白夜行』のほか、各シリーズ作品も大変な人気があります。「ガリレオシリーズ」、「マスカレードシリーズ」、「ラプラスの魔女シリーズ」など、それぞれに特色と持ち味があり、登場人物は魅力に溢れたキャラクターの持ち主ばかりです。

今回ご紹介する『あなたが誰かを殺した』は、2024年時点での「加賀恭一郎シリーズ」最新作となっています。加賀恭一郎シリーズは、学生時代の加賀が登場する『卒業』から始まり、その後、刑事となった加賀が、数々の難事件解決に挑む物語です。シリーズのうち多くの作品が映像化されているため、加賀恭一郎といえば、俳優の阿部寛さんを思い浮かべる方も多いのではないでしょうか。

『あなたが誰かを殺した』は、シリーズの一つではありますが、もちろん作品単体で

も楽しむことができます。シリーズだからといって、順番に読まなければ話がわからないということはありませんので、安心してお楽しみください（順番に読んだ方が、加賀恭一郎のバックグラウンドを知れるので、物語の深みが増すのは確かです）。

僕は本作を、シリーズ最高傑作だと思っています。早々に主犯が確定するにもかかわらず、物語の最後の最後まで気が抜けません。犯人も、犯行動機も、タイトルも、なにもかも納得の一冊です。

物語の舞台は閑静な別荘地。そこでは毎年、複数の家族が集まり、バーベキュー・パーティをするのが恒例となっていました。楽しげな雰囲気で幕を下ろしたパーティの後、残虐な事件は起こります。

パーティに参加していた人たちが、次々と殺されたのです。犯人はパーティの参加者ではありません。別荘地にいた人々とは全く関わりのない、桧川大志（ひかわたいし）という若い男でした。事件の後、彼は、別荘地近くのホテルで高級ディナーをこれでもかと堪能した後に、従業員に次のように告げたのです。

「最後の晩餐にふさわしい料理だった。感謝するよ」

「今すぐ警察に連絡して、ここに駆けつけるようにいってもらいたい」

「あの事件の犯人は俺なんだ」

困惑する従業員に対して、自分が犯人であることを示すように、桧川は血のついたナイフを取り出しました。犯行の動機は、死刑になりたかったから。

犯人逮捕で事件は解決、とはいきません。どう考えても辻褄の合わない、不可解な点がいくつもあったのです。事件を探れば探るほど浮かび上がる疑惑。そして、タイトルの『あなたが誰かを殺した』の意味。

本作では、長期休暇中の加賀恭一郎が登場し、別荘地にいた関係者が集まる「検証会」を通して、事件の全貌を紐解いていきます。

真実に辿り着いたとき、僕は激しい怒りを覚えました。そして、真犯人に同情してしまったのです。

加賀の洞察力は計り知れず、そんな加賀を描き出す東野圭吾さんには、敬意の気持ちしかありません。ラストシーンでは、加賀恭一郎という男の真骨頂が見られます。

どんでん返しを体験できる小説5選

【注意書き】

僕のＳＮＳには、大変光栄なことに、たくさんのリクエストが届きます。その中で特に多いのが、「どんでん返しが起こる小説を紹介してください」というものです。紹介するのは簡単なのですが、ここでまず頭を抱えるのは、どんでん返しがあることを読む前に知りたくない方への配慮になります。本の帯やＰＯＰでも「どんでん返し」を謳い、販促に繋げることは珍しくありません。しかし、「どんでん返し」という言葉自体がネタバレになると考えることもできます。

とはいえ、どんでん返しを求める読者の方がいるのは事実です（そもそも、「ミステリー」というカテゴリー名自体が、ある意味ネタバレなのかもしれません）。

今回は、僕が驚嘆させられた「どんでん返し」を体験できる小説を五冊セレクトし、物語の核心部分には触れずにご紹介します。

作品名、内容を知りたくない方は、ここから１７０ページまで、お気をつけください。

48

目を背けたくなるほどの猟奇的殺人の犯人は一体どこにいる

『連続殺人鬼カエル男』――中山七里（宝島社文庫）

最初にご紹介するのは、個人的な思い入れも強い一冊『連続殺人鬼カエル男』です。大学一年生のときに読んだのですが、あまりの衝撃に大興奮してしまいました。当時は周りに読書仲間がいなかったため、読書に興味のない友人に向かって、一方的に感想をまくしたてていたことを覚えています（結局、その友人は読んでくれませんでした……）。

その衝撃は、決して思い出補正なんかではありません。展開と結末を理解している中で読み返しても、その完成度の高さには感銘を受けます。

物語は、凄惨な殺人事件から始まります。口にフックをかけられ、マンションの十三階からぶら下げられた女性の全裸死体が発見されるのです。傍には、事件の凶悪性を際立たせる、次のような犯行声明文が残されていました。

きょう、かえるをつかまえたよ。

この一文に続く文章も、まるで子どもが書いたかのように稚拙なものだったのです。

事件は一度では終わりませんでした。第二、第三と、さらに凶悪性を増しながら、次々と殺人事件が起こります。そして、現場にはやはり、稚拙な犯行声明が添えられているのです。正体のつかめぬ犯人は、「カエル男」と呼ばれました。

残虐極まりない犯行から推測できたのは、犯人が異常者であること、そして、抜けきらない幼児性があることだけです。動機や犯人像は全く浮かばず、警察の捜査は難航します。しかし、連続して事件が起こったことで、わずかな法則が見えてくるのです。

猟奇的殺人を続ける犯人・カエル男の正体は、そして、その目的とは——。

猟奇的な殺人犯が登場する小説といえば、海外文学では『羊たちの沈黙』（トマス・ハリス 著）や『百番目の男』（ジャック・カーリイ 著）、日本文学では『殺人鬼』（綾辻行人 著）や『殺戮にいたる病』（我孫子武丸 著）などが挙げられます。それらに劣らぬ悍ましい描写と巧妙なミステリーに、時間を忘れて没頭してしまいました。最後の最後に待ち受けるどんでん返しに驚くだけでなく、多くの読者は、二転三転するこの物語に翻弄されるはずです。

　この物語の魅力は、それだけではありません。整合性を保ったまま進む物語、読む手を止めさせないリーダビリティ、社会的意義のある作品テーマなど、一冊の中に多くの魅力が含まれているのです。それらが合わさり、読む者を引き込んで離しません。

　文庫巻末にある書評家・茶木則雄（ちゃきのりお）さんによる、『このミステリーがすごい！』大賞選考時のエピソードも非常に興味深く、最後の最後まで楽しめる一冊です。

49

メイントリックが明かされた上での「騙された！」

『殺し(ころ)の双曲線(そうきょくせん)　愛蔵版(あいぞうばん)』――西村京太郎(にしむらきょうたろう)（実業之日本社）

この推理小説のメイントリックは、双生児であることを利用したものです。

……おいおい、いきなりトリックを明かすなんて、台無しじゃないか！　と思われたかもしれませんが、ご安心ください。『殺しの双曲線』は本文の前に、「この本を読まれる方へ」という著者からのメッセージが書いてあるのです。

この推理小説のメイントリックは、双生児であることを利用したものです。

何故、前もってトリックを明らかにしておくかというと、昔から、推理小説にはタブーに似たものがあり、たとえば、ノックス（イギリスの作家）の「探偵小説十戒」の十番目に、「双生児を使った替玉トリックは、あらかじめ読者に知らせておかなければ、アンフェアである」と書いてあるからです。

こうしたタブーは、形骸化したと考える人もいますが、作者としては、あくまで読者にフェアに挑戦したいので、ここにトリックを明らかにしたわけです。

これで、スタートは対等になりました。

では、推理の旅に出発して下さい。


本作が発表されたのは1971年。今から半世紀近く前の作品です。時代背景が変化したこともあり、多少古さを感じる描写はあるものの、その見事な解決ぶりには、ミステリーの奥義を目にした気持ちになりました。

また本作は、クローズドサークルの最高傑作と名高い『そして誰もいなくなった』(アガサ・クリスティー著)のオマージュであり、挑戦作でもあります。

簡単にあらすじをまとめます。

東北地方の山荘に集められた六名の男女。彼らが集まったのは、「観雪荘」という差出人からの招待状がきっかけでした。

山荘は深い雪に囲まれています。さらには、彼らの到着直後から、雪上車の故障や電話線の切断などが相次ぎ、外部との交通や連絡手段が絶たれてしまいました。そして、この陸の孤島と化した山荘で、殺人事件が起きるのです。

この事件の他に、東京では、双生児のどちらかによる連続強盗殺人事件が起こっていました。山荘での事件と東京での事件が交互に描かれていきます。全く関係なさそうなこの二つの事件が、どのように交わっていくのか——その真相が、どんでん返しに繋がるのです。


冒頭でトリックが明かされているため、僕は双子が登場するシーンを重点的に、注意深く読みました。それでも「騙された！」と声を上げてしまうほどにミスリードの描き方が上手く、著者である西村京太郎さんには脱帽するほかありません。

現代文芸界の最前線で活躍している小説家にも、この小説の衝撃に驚かれている方が多数います。人気作家をも唸らせる謎解きに、ぜひともチャレンジしてください。

50

多重に張り巡らされた伏線に、あなたは気づくことができるだろうか

『X(エックス)の悲劇(ひげき)』――エラリー・クイーン、中村有希(なかむらゆき)訳（創元推理文庫）

ミステリー小説に興味をもったのであれば、遅かれ早かれ知ることになるのが、米国史上最高の推理小説と呼ばれる名作『Xの悲劇』です。『Xの悲劇』は、クイーン代表作の一つ「悲劇シリーズ」四部作の一作目にあたります。

名作とはいえ、翻訳小説であり、また「ミステリーの古典」と言われるほど古い作品でもあるため、なかなか手を出せずにいる方も多いのではないでしょうか。僕は、アガサ・クリスティーの影響で海外ミステリーに興味をもち、この小説を手に取りました。全く見当のつかなかった犯人が明かされたときの驚きに加えて、実に美しい物語の締め方には、いたく感動したものです。

物語を紹介する前に、著者であるエラリー・クイーンについて、簡単に紹介させてください。ご存じの方も多いと思いますが、彼は一人ではありません。エラリー・ク

イーンは共同ペンネームで、物語はフレデリック・ダネイとマンフレッド・B・リーの二人の合作として発表されています。ダネイとリーは、幼い頃から仲が良く、共にミステリーの虜になり、後に共同で創作活動に励むようになりました。そして、今なお世界中で愛され続ける偉大な作家となったのです。このエピソードだけでも、十分な物語になりそうですよね。

エラリー・クイーンを象徴するものといえば、「読者への挑戦状」ではないでしょうか。解決編の前に「ここまでで犯人を特定する手がかりはすべて揃いました。さあ、あなたに犯人が分かりますか？」と、読者に問うものです。『ローマ帽子の謎』から始まる「国名シリーズ」では、多くの作品で「読者への挑戦状」が書かれています。これによって読者の期待値は大きく上がり、また、「謎を解いてやる」という気持ちになるのは必然です。しかし、その推理をことごとく超える展開に、多くの読者は完敗を喫するのです。

物語の主人公は、探偵でもあるドルリー・レーン。六十歳の彼は、もともと名高い俳優でした。推理力も抜群で、あることをきっかけに、数々の難事件へ挑むことになります。そんな優秀なレーンですが、実は、耳が聞こえないというハンディキャップを負っているのです。物語は、ニューヨークの路面電車内で発生した、不可解な毒殺事件の真相を追う形で進みます。密室同然の状況で起こった事件であり、当初、犯人の絞り込みは容易だと思われていました。しかし、満員電車だったこともあり、容疑者の数があまりにも多いのです。また、犯行手口も巧妙で、足跡がほとんど残っていなかったため、捜査は難航を極めます。

容疑者が多数いる中から、レーンはどのようにして犯人を導き出すのか——。

読後に振り返ると、ごく自然な形でいくつもの伏線が張り巡らされていたことに気づきます。読んでいるときには、どうして違和感すら覚えなかったのかと、悔しくなるほどに見事なミステリーでした。そして、タイトルにある「X」の意味が明かされたときの感動は格別です。最後の最後まで息つく暇すら与えてくれない小説でした。

シリーズ二作目の『Yの悲劇』も、多くの人が「オールタイムベストのミステリー小説」に選ぶほどの傑作です。まずは『Xの悲劇』から、エラリー・クイーンによる本格ミステリーの世界へとお入りください。

51

叙述トリックの名手による、一気読み必至のジェットコースターミステリー

『倒錯（とうさく）のロンド』——折原一（おりはらいち）（講談社文庫）

ミステリー技法の一つに「叙述トリック」があります。文章だけで構成される小説ならではの高度なテクニックです。

よくある男女の恋愛を描いた物語かと思いきや、実は猫目線で描かれた物語だった……ベタな喩えで恐縮ですが、このように読者の思い込みを利用したミステリー技法であり、どんでん返しを味わうことができます。

したがって、「この小説には叙述トリックが使われている」などと言ってしまうと、それは大きなネタバレになってしまうのです。SNSの読書アカウントを運用されている方が、「読みました」と投稿する際、叙述トリックであることに触れてしまい、コメント欄が荒れているところを、何度も見ています。おそらく、投稿した本人に、全く悪気はないはずです。しかし、ミステリーを愛している人にとっては、大問題な

のでしょう。ネタバレが御法度だからこそ、敏感になっているのかもしれません。

ただ、僕が知っている中で一人だけ、叙述トリックが使われていることを開示しても、クレームの出ない小説家がいます。今回ご紹介する『倒錯のロンド』の著者、折原一さんです。デビューから三十年以上の長きにわたりご活躍されているベテラン作家です。

ではなぜ、折原さんの小説は叙述トリックの使用が知られてもネタバレにならないのか——それは単純に、書かれる小説のほとんどに叙述トリックが使われているからです。叙述トリックを中心に作品を書き続け、長いキャリアを築くということが、どれだけ難しいことか、想像に難くありません。おそらく多くのファンが、叙述トリックを期待して折原さんの小説を読んでいるはずです。それは、僕も例外ではありません。ところが、きっと叙述トリックだろうと推測して読んでいるのに、折原さんの小説には、ものの見事に騙されてしまうのです。

『倒錯のロンド』は、推理小説新人賞を受賞した「幻の女」をめぐる謎を紐解いていくミステリーです。「幻の女」を書いたのは、小説家志望の山本安雄(やまもとやすお)という男でした。非常に手応えのある出来栄えで、山本は、これなら新人賞を受賞できると確信していたのです。「幻の女」は、手書きの原稿だったため、山本の友人である城戸という男にワープロで打ち直してもらうことになりました。山本の字が汚く、読むのに苦労したと、城戸から指摘を受けたからです。そうして原稿は、一時的に城戸の手に渡ります。ここでトラブルが起こります。あろうことか、城戸はその大事な原稿を電車でなくしてしまったのです。

原稿が見つからぬまま迎えた新人賞発表の日、なんと受賞作のタイトルは、山本が書いた小説と同じ「幻の女」でした。作者の名は、白鳥翔。山本は、白鳥が拾った原稿で新人賞に応募したことを疑います。しかし、山本がそんなことを主張したとしても、誰も信じてはくれません。

そこで山本がとった行動は、白鳥を執拗に追い詰めることでした——。

途中、何度か違和感を覚えましたが、それごとひっくり返してしまう圧巻の逆転劇には、鳥肌が立ちました。

『倒錯のロンド』に叙述トリックが使われているかどうかは、ノーコメントでお願いします。僕は一言も叙述トリックが使われているとは言っていませんよ。使われてないとも言いません。

52

二度読み必至 タイトル通りの「噂」の物語

『噂』──荻原浩(新潮文庫)

第155回直木賞を『海の見える理髪店』で受賞された荻原浩さん。五度のノミネートを経ての受賞でした。思いやりに溢れたじんわりと心温まる作風に、僕を含む多くの読者が励まされました。他にも、五十歳で若年性アルツハイマーを発症した男性を描く『明日の記憶』(第18回山本周五郎賞受賞作)を筆頭に、人生の指南書のような、涙なしでは読めない感動的なストーリーを多く発表されています。

しかし、今回ご紹介する小説は、それらの小説とは打って変わった、凶悪事件の真相を追うサイコ・サスペンスです。

本の帯や出版社公式サイトの紹介に「衝撃のラスト一行に瞠目!」とあるので開示しますが、この小説の凄みは、物語を締める最後の一行にあります。実のところ、僕も、この「少々煽りすぎでは?」と心配になるキャッチコピーに惹かれて、この本を手に取りました。こんなことが書いてある以上、最後の一行を期待しながら読み進めるわけです。本を開く前から、結末への期待値は最高潮に達していました。しかし、その一方で、少しの不安もあったのは事実です。

読み終えた瞬間、僕が抱いていた不安は杞憂であったと判明しました。そして、迷うことなく、物語を最初から読み返したのです。最後の一行に受けた衝撃は、それほどまでに凄まじいものでした。

これは噂で始まり、噂を追い、噂で終わる物語です。

「レインマンが出没して、女のコの足首を切っちゃうんだ。でもね、ミリエルをつけてると狙われないんだって」

渋谷の女子高生の間で、このような都市伝説が広まります。ミリエルとは香水の新ブランドです。この都市伝説は、渋谷でスカウトしたモニターの女子高生たちによって口コミを広める、マーケティング施策だったのです。狙い通りに、物騒な都市伝説はものの見事に広まっていきます。そして、その拡散と比例するように、ミリエルの香水は次々と売れていき、瞬く間に大ヒット商品となりました。

しかしそれは、恐ろしい事件の始まりの合図だったのです。

都市伝説の通り、女子高生の足首が切られ、殺害されるという凶悪事件が、実際に起こってしまいました。事件を追う警視庁の小暮悠一(こぐれゆういち)と、小暮よりもはるかに年下の女性刑事・名島(なじま)は、レインマンの噂を耳にし、共に捜査にあたります。一方、犯人は、歪んだ性癖を満たすかのように、次々と殺人を繰り返すのです。

一体犯人はどこの誰で、何を目的としているのか——。


ストーリーは二転三転し、思わぬ方向へと進んでいきます。そして、待ち受ける最後の一行。この一行が、脳裏に焼きついて離れません。

ハイテンポで、没入できる小説です。また、小暮と名島による、優れたバディものとしても存分に楽しめます。ぜひ、休日の前夜から、一晩で一気読みしてください。

第3章　引用文献

似鳥鶏『小説の小説』1刷、6ページ・7ページ、２０２２年、ＫＡＤＯＫＡＷＡ
泡坂妻夫『しあわせの書 迷探偵ヨギガンジーの心霊術』（新潮文庫）26刷、帯文・2ページ、２０１４年、新潮社
小川哲『君のクイズ』1刷、8ページ・10ページ・11ページ、２０２２年、朝日新聞出版
東野圭吾『あなたが誰かを殺した』1刷、43ページ・44ページ、２０２３年、講談社
中山七里『連続殺人鬼カエル男』（宝島社文庫）20刷、10ページ、２０２０年、宝島社
西村京太郎『殺しの双曲線　愛蔵版』1刷、7ページ、２０２３年、実業之日本社
荻原浩『噂』（新潮文庫）29刷、6ページ・裏表紙、２０１８年、新潮社

東野圭吾さん
×
けんご
メール
インタビュー

2023年に発行累計1億部を突破した東野圭吾さん。今なお勢いの止まらぬ大人気作家に、小説紹介クリエイターの けんご がインタビューしました。

けんご　東野さんの小説で、いつも「すごいな」と唸ってしまうのが、犯行動機です。その犯行に至る過程として、登場人物の背景やキャラクターの設定が非常に作り込まれています。どのようにして登場人物を生み出しているのでしょうか？

東野　その人物を具体的にイメージし、状況に応じてどのように行動させるのが自然かを懸命に想像します。決して作者の都合を優先させないよう気をつけています。

けんご　「若者の読書離れ」などと言われることがあります。東野さんは、「小説の未来」について、どのように考えていらっしゃいますか？

東野　かなり悲観的です。電車に乗るたび、スマートフォンには勝てないと痛感します。

けんご　小説家の方から、「小説を仕事にしてから、娯楽として楽しめなくなった」という話を聞くことがあります。東野さんは、他の方の小説を、娯楽として読まれることはあるのでしょうか？

東野　大いにあります。

けんご　そうなんですね。では、この一年（２０２３年から２０２４年2月）で、東野さんが最も評価した小説は何ですか？

東野　残念ながら、この一年は良い出会いはありませんでした。

けんご　東野さんにとって「読者」とは、どのような存在ですか？

東野圭吾さん×けんご
メールインタビュー

東野　もてなすべき相手であり、審査員です。
けんご　東野さんはスマートフォンを持たれないと聞いたことがあります。それは今でも変わりませんか？
東野　今もスマートフォンは持っておりません。常にiPadを所持しているので必要を感じないのです。SNSを作中に使うことはありますが、自分から発信する予定はありません。
けんご　東野さんが小説を読んだことがない人にご自身の著書をおすすめする場合、どの作品を選びますか？
東野　自分では選べません。
けんご　今まで書いた小説の中で、「これがベストだ」と思われる作品はありますか？
東野　作品は我が子のようなものです。子供に順位付けはできません。
けんご　これまで、日本橋人形町、浅草、山下公園（横浜）など、さまざまな土地が物語の舞台となりました。今後、「ここを舞台にして物語を書きたい」と思う場所はありますか？
東野　鹿鳴館時代の東京を舞台に書きたいと思っていますが、勉強不足なので、たぶん無理でしょう。
けんご　昨秋の紫綬褒章、誠におめでとうございます。過去にも多くの賞を受賞(※)されていますが、まだ達成できていない目標などはありますか？
東野　受章や受賞を目標にしてきたわけではないので、ぴんときません。目指すところはいつも、「もっと面白いものを書く」です。
けんご　東野さんは『アルキメデスは手を汚さない』（小峰元 著）が運命の出逢いだとおっしゃっていました。東野さんが感じられたこの作品の魅力を、教えてください。
東野　大人の視点で若者の世界が描かれているところです。高校生の不気味さがよく出ています。

若者の視点で描いていたら、たぶんつまらなかったと思います。

けんご　これまで刊行された作品の中で、書くことに最も苦労した小説を教えてください。

東野　どの作品も苦労しました。中でも印象に残っているのは、『天空の蜂』、『手紙』、『人魚の眠る家』です。答えを見つけられず、手探りで書きました。

けんご　新刊の発売前は、どのようなご心境になるのでしょうか？　緊張されますか？

東野　書き終えた作品のことはあまり考えません。次作の執筆で精一杯です。

けんご　ご自身で一番好きなキャラクターは、『時生』の主人公・宮本拓実だとお聞きしています。

東野　宮本拓実が一番だったのは、ずいぶん昔です。やっぱりシリーズ・キャラクターへの思い入れは強くなります。

けんご　僕は2024年で二十六歳になります。正直、十〜二十年後の未来を全く想像できません。東野さんが二十代半ばの頃は、どのように過ごし、どのような将来設計を持たれていましたか？

東野　二十六歳といえば、会社勤めをしながら『放課後』を執筆していた頃です。乱歩賞への三度目の応募で、受賞を夢見ていました。

けんご　小説を書く際に、最も意識していることを教えてください。

東野　これまでに私の作品を読んだことのない人が初めて読む小説になるかもしれない、と考えながら書いています。だから手抜きや妥協はしません。

けんご　シリーズ作品を書く際は、続編を書くことを決めた上で執筆しますか？　それとも、考えたトリックやプロットに合わせて、過去のキャラクターを再登場させることを決めるのでしょうか？

東野　ケースバイケースです。加賀恭一郎にしてもガリレオにしても、これほど長く続くことになるとは思いませんでした。唯一シリーズ化を予定していたのは、ブラックショーマンです。

けんご　シリーズ作品を書くときに気をつけていることはありますか？

東野　設定を安易に決めてしまうと後々困ることになります。だから慎重になるのですが、何気なく書いてしまったことが意外な展開のきっかけになったりするので、悪いことばかりではありません。加賀恭一郎の母親が失踪した謎を、まさか三十年近く経ってから解くことになるとは思いませんでした。

けんご　間もなく、東野さんは作家生活40年目を迎えられます。今後の目標や抱負があれば、お聞かせください。

東野　新たな代表作を書く、です。

けんご　東野さんの考える「小説の魅力」を教えてください。

東野　小説の魅力は、頭の中で好きなように映像化し、楽しめることです。お気に入りの俳優さんや友人知人を配役するのもいいでしょう。ＢＧＭも好きなように選べます。スマホと違ってバッテリー切れの心配もなし。そのようにして架空の人生を、いくつも大いに楽しみましょう。

東野圭吾　１９８５年に『放課後』でデビューし、同作が江戸川乱歩賞を受賞。その後、日本推理作家協会賞、直木賞、本格ミステリ大賞や新風賞、吉川英治文学賞など数々の賞を受賞。映画やドラマなどで映像化されたものは、のべ45作品を超える。

（※）受賞歴

１９８５年『放課後』第31回江戸川乱歩賞
１９９９年『秘密』第52回日本推理作家協会賞（長編部門）
２００６年『容疑者Ｘの献身』第１３４回直木賞・
第6回本格ミステリ大賞（小説部門）
２００８年『流星の絆』第43回新風賞
２０１２年『ナミヤ雑貨店の奇蹟』第7回中央公論文芸賞
２０１３年『夢幻花』第26回柴田錬三郎賞
２０１４年『祈りの幕が下りる時』第48回吉川英治文学賞
２０１９年 第1回野間出版文化賞
２０２３年 第71回菊池寛賞
２０２３年 紫綬褒章

Q&A ―たくさん届く質問に回答します―

Q. 一番好きな小説家を教えてください。

A.東野圭吾さんです。僕を読書の世界へと導いてくれた、大恩人です。よく「東野圭吾は裏切らない」と言われますが、まさにその通りだと思います。

Q.毎月、どのくらいの冊数をどのくらいのペースで読んでいますか?

A.少ない月で10冊、多い月だと20冊以上読んでいます。読むペースは、ストーリーや筆致の影響も受けるため、多少のばらつきはあるものの、おおよそ時速100ページくらいです。東野圭吾さんの小説の場合は、文章に慣れていることもあり、時速150ページくらいになります。

Q.速く読めるようになるにはどうすればいいですか?

A.僕も同じ悩みを抱えています。もっと速く読むことができれば、もっと多くの小説を読めるのに……と。しかしこれでも、小説を読みはじめたばかりの頃よりは、格段に速くなりました。読むスピードが上がった要因は、完全に慣れです。特に努力はしていません。たくさんの小説を楽しんでいるうちに、読むスピードもついてきた感じです。とはいえ、それぞれのペースで楽しめることが小説の魅力の一つですから、読む速さについて、そこまで気にする必要はないと思います。

Q.自分好みの小説を見つけるのに苦労しています。どうすれば見つかりますか?

A.たくさん読むことだと思います。僕自身、200冊ほどの小説を読んだあたりから、ようやく自分の好みを掴めるようになりました。たくさん読む際には、あまり興味のないジャンルの小説でも、とりあえず手を出してみることがポイントです。意外なジャンルの作品が、心の奥に眠っていた興味を引き出してくれるかもしれません。

Q.面白くないと思う小説もありますか?

A.はい。面白くないというか、今の自分には合わない作品は、たくさんあります。でもそれは、自分の読解力が追いついていないとか、読んだ当時の気持ちが作品とマッチしなかったとか、さまざまな要因から、その小説の面白さに気づくことができなかっただけだと思うのです。なので、そのような本は、「この物語をいつか自分が必要とする日がくるかもしれない」と思いながら、自宅の本棚で寝かせておくようにしています。

Q.読書をしたいけど読む時間が取れません。どうすればいいでしょうか?

A. 読書の時間を、まとめて取る必要はないと思います。朝と夜の10分ずつだけでも、満たされた読書をすることは可能です。例えば、10分で10ページ読めるとしたら、朝晩で20ページ。300ページの小説なら約半月で読破できる計算になります。一気に読む必要はありません。好きなペースで進められるのも、読書の魅力の一つです。あと、いったん読みはじめたら、きっと10分では物足りなくなって、どうにかして時間を捻出するようになりますよ。

第4章

脳裏に焼きつく物語

—大切なことを学べる読書体験をしたい方へ—

53

自分の心と向き合える唯一無二の読書体験

『カラフル』――森絵都（文春文庫）

人には、「美点」があれば「欠点」もあります。自分のことは自分が一番よくわかるので、細かな欠点が気になってしまいがちですよね。

ただそれは、自分のことだからこそ、少しだけ視野が狭くなっているだけかもしれません。欠点だと思い込んでいるものが、他者から見れば美点に見えることだってあるのです。

例えば、臆病で慎重すぎることを、自分の欠点だと感じている人がいます。いつも確認作業に時間がかかり、他の人よりも仕事に時間がかかってしまうのです。しかし別の見方をすれば、その人の慎重なところが、ミスのない正確な仕事に繋がっているのかもしれません。これは、立派な美点です。

自分のことは、どうしても歪んで見えてしまうものです。自分を俯瞰して見つめ直すことが必要です。今回は、自分と向き合うきっかけとなった、僕にとって大切な小説を紹介させてください。

『カラフル』は、ヤングアダルト（YA）文学に分類される、小学校高学年から中学生向けの小説です。しかし、だからと言って自身の年齢だけで読むか読まないかを決めるのは、非常にもったいないと思います。ヤングアダルトの枠を超える、優れた物語です。より広い世代の方に読まれるべき作品です。

物語は、大きな過ちを犯して亡くなり、魂となった「ぼく」が、輪廻のサイクルから外されるところから始まります。過ちがあまりにも大きすぎるため、もう二度と生まれ変わるチャンスを与えられないというのです。

しかし、どこからともなく現れた「プラプラ」と名乗る天使によって、再挑戦のチャンスが与えられます。その内容は、服薬自殺をはかった小林真（こばやしまこと）という少年の身体に「ホームステイ」して、修行を積むことでした。ここでのホームステイとは、身体を借りて日々を送ることを意味します。天使によると、ある時点で前世の記憶を取り戻し、犯した過ちの大きさを自覚するとのことです。その瞬間にホームステイは終了し、そして、輪廻のサイクルに戻ることができます。

「ぼく」が次に目を覚ますと、小林真になっていて――。

本当にヤングアダルト向け作品なのかと思うほど、社会問題にも切り込んだ本格的なストーリーです。比較的短い物語なのに、感情が右往左往する、衝撃的な作品でした。

悩みやすく繊細な人は特に、自身の美点が見えにくいのだと思います。本当はたくさんの美点があるのに、そのことが目に入りにくいのです。でも、ちょっと角度を変えるだけで、見える世界はガラリと変わります。

僕も同じです。悩みは絶えないし、自分の欠点ばかりに目が向きます。でも少しずつ、自分を俯瞰できるようになってきました。そして、自分の良さを見つけられるようになってきました。そのきっかけの一つとなってくれたのが、『カラフル』です。

ぜひこの小説を読んで、色とりどりの世界の中から、自分だけの色を見つけてください。

54

教科書にも掲載されている歴史的青春文学

『少年の日の思い出』――ヘルマン・ヘッセ、岡田朝雄訳（草思社文庫）

「エーミール」という名前を聞いて、懐かしさを感じる方も多いのではないでしょうか。エーミールは、中学一年生の国語の教科書に掲載されている『少年の日の思い出』に登場する主要人物です。

僕が中学生だったときは、エーミールの特徴的な性格と、彼の発したとあるセリフの印象ばかりが先行し、友人と大いに盛り上がっていた記憶があります。クラスメイトの間でも、人気（？）のキャラクターでした。

しかし、大人になって読み返してみると、その物語の素晴らしさにひどく感銘を受けたのです。草思社文庫版の訳者・岡田朝雄さんによるあとがきには、１９４７年から現在に至るまでの約七十年もの間、中学国語の教科書に掲載され続けている物語は、『少年の日の思い出』のほかに例がないと記されています。「国語教材の古典」と呼ばれるのも当然である、と岡田さんは述べていました。

簡単に物語を振り返りましょう。なお、『少年の日の思い出』においては、国語の教科書に掲載されていたこともあり、ネタバレを含む形で解説していきます。ご了承ください。

物語は、主人公の「ぼく」が過去の過ちを語る形で進みます。幼少期の「ぼく」は、蝶や蛾を標本にしてコレクションするのが趣味でした。周りの子どもたちはガラス蓋のついた木製の標本箱を使っているのに、「ぼく」の両親は満足な道具を買ってくれません。仕方なく、「ぼく」は古くつぶれたボール紙の箱に、標本を保管していました。それをコンプレックスに感じていたのか、「ぼく」は、自分のコレクションをせいぜい妹たちに見せるくらいしかしていなかったのです。

ある日、「ぼく」はコムラサキという珍しい蝶を捕えることに成功しました。標本にすると、「ぼく」はいてもたってもいられず、隣の家に住む少年・エーミールに見せにいきます。エーミールは学校の先生の息子であり、「ぼく」は彼のことを模範少年だと思っていました。浮世離れしていて、気味が悪いほどに大人びていたのです。

エーミールはコムラサキの標本を見るなり、珍しいことを認めつつも、展翅の仕方が悪いことや、脚が二本欠けていることなどを指摘しはじめます。「ぼく」が聞きたくないことばかりを言うのです。そして、「ぼく」は思います。エーミールには二度と見せてやらないと。

それから二年が経ち、「ぼく」は、ある噂を耳にします。エーミールが、クジャクヤママユという大変貴重な蝶を、蛹から羽化させたというのです。それは、「ぼく」がずっと憧れていた蝶でした。

そのことを耳にした「ぼく」は、昂る感情を抑えられずに、エーミールの自宅に向かいます。しかし、彼は不在でした。せめて例の蝶を目にしたいと、「ぼく」はエーミールの部屋に入ります。確かにその美しい蝶はありました。「ぼく」はすっかり目を奪われ、そして、「ぼく」は過ちを犯します。エーミールのクジャクヤママユを盗んだのです。

直後、「ぼく」は過ちの大きさに気づきます。元の場所に戻すべきだと、我に返ったのです。しかし、慌ててポケットに入れてしまった蝶は、取り返しがつかないほどに羽がばらばらになっていました。

「ぼく」は、家に帰ると、母親に自分の罪を告白しました。すると母は、今すぐエーミールに謝らなければならないと言います。

その日のうちに、「ぼく」はエーミールのところへ謝罪に行きました。クジャクヤママユを台無しにしたのは自分であることを伝えます。そして、詳しく説明しようとしたところ、エーミールは怒りを見せることもなく、こう言ったのです。

「そう、そう、きみって、そういう人なの？」

「ぼく」は慌てて、自分のコレクションを全部あげると言いました。けれど、エーミールは、こう言い放ちます。

「どうもありがとう。きみのコレクションならもう知っているよ。それにきみが蝶や蛾をどんなふうに扱うか今日またよく見せてもらったしね」

一度起こしてしまったことは、二度と元通りにすることはできない。このとき、「ぼく」は、そう悟りました。そしてその夜、暗がりの中で自分のコレクションを取り出し、指で粉微塵に押しつぶしたのです。

嫉妬・憧れ・憎しみ・罪悪感、少年たちの複雑な感情が見事に表現された、青春小説の傑作です。教科書に掲載されるべくして、掲載され続けているのだと思います。ごく短い小説ですが、誰しもが感情移入できる、胸の痛くなる物語です。

ヘルマン・ヘッセは、他にも『デミアン』『知と愛』『車輪の下』など、数多の名作を残した偉大な作家です。まずは『少年の日の思い出』で、ぜひ色褪せぬ青春を味わってください。

55

4033人が選ぶ「鬱小説ランキング」の頂点 byひろたつ@読書中毒ブロガー

『砂糖菓子の弾丸は撃ちぬけない』――桜庭一樹（角川文庫）

2023年3月、Twitter（現X）上で大変興味深いテーマの小説ランキングが話題になりました。そのランキングを集計したのは、僕が尊敬している読書家のひろたつ@読書中毒ブロガー（@summer3919）さんです。ひろたつ氏は、毎回異なるテーマを設定し、ハッシュタグを用いて作品を募り、それを集計してランキング形式で発表する企画をたびたび行っています。

その中でも、特に大きな反響を生んだのが「#大好きな鬱小説」です。このハッシュタグには、なんと4033人もの投票が集まりました。この栄えある一位に輝いた小説こそ、今回ご紹介する『砂糖菓子の弾丸は撃ちぬけない』です。しかも、投票数で二位の作品と1・5倍もの差をつけた、ぶっちぎりの一位でした。

この小説の衝撃は、冒頭の一ページにあります。物語の結末が、一ページ目から明かされているのです。

読者は、冒頭で確定した悲痛な結末を見届けるために、この小説を読み進めていかなければなりません。


主人公の女の子、山田（やまだ）なぎさの通う中学校に、海野藻屑（うみのもくず）という少女が転校してきました。藻屑は見た目こそ美しいものの、どことなく浮世離れした不思議な少女です。自分のことを人魚だと言い張ったり、風変わりな言動によって、転校初日から早くも周囲から浮いてしまいます。

そんな藻屑は、なぎさのことを「可愛い」と思っています。可愛いと思うからこそ、その気持ちの裏返しで、なぎさにひどいことを言ってしまうのです。

また、よく見ると身体にたくさんの痣ができていたり、歩き方が変だったり、藻屑は何かがおかしいのです。

「好きって絶望だよね」

藻屑のこの言葉の裏には、あってはならない愛の形があって――。

『砂糖菓子の弾丸は撃ちぬけない』のストーリーには、「ストックホルム症候群」が大きく関わってきます。ストックホルム症候群とは、自分に危害を加える人と長い時間をともにすることで、加害者に対して好意や共感、信頼を寄せてしまうという現象です。

救いのない話ではあるものの、非常に考えさせられる内容です。後々まで、かなり引きずりました。

本作を多くの人が「これぞ鬱小説」だと認識することに、僕も全く異論はありません。正真正銘の鬱小説です。

その反面、ただの鬱小説だけで終わらせてはいけない物語だと思っています。この物語が心の救いになった、そんな読者もきっと少なくないはずです。もしかすると、あなたにとっての救いとなってくれるかもしれません。

56

性なき愛は可能か、子どもを持つとはどういうことか

『犬のかたちをしているもの』――高瀬隼子（集英社文庫）

高瀬隼子さんは『おいしいごはんが食べられますように』で芥川賞を受賞し、一躍人気作家となりました。そんな高瀬さんの小説を、僕はデビュー作から欠かさず読んでいます。触れてほしくない人間関係の話や、どこからこんな発想が出てくるのだろうかと思うような奇体な物語など、新刊が出るたび夢中になっています。

すべての作品をご紹介したいところですが、まずは高瀬さんのデビュー作である『犬のかたちをしているもの』を読んでいただきたいです。どこか浮世離れした雰囲気が漂っているのに、それでも誰かの実体験なのではないかと思わせる、非常に惹きつけられる作品でした。「性」に対して言語化できない違和感を抱えている人は、この物語に深く共感するのではないでしょうか。

本作の語り手である間橋薫(まばしかおる)は、恋人の田中郁也(たなかいくや)と半同棲しています。付き合いはじめてから三年ほどの歳月が経っていました。

そんな薫は、卵巣の手術をしていることもあり、性に対してあまり積極的になれません。郁也とはセックスレスの状態が続いていました。それは別に、郁也に限ったことではありません。これまで交際してきたすべての相手と、性的な関係を極力控えてきたのです。

「薫のこと、好きだから大丈夫」

最初はみんな、こう言います。郁也も例外ではありません。それでも、いつかきっと限界がくるのだろうと、薫は内心でそう思っていました。

ある日の夜、薫は郁也に駒込のドトールへ呼び出されます。薫は、仕事帰りのドトールで話すようなこととは、何だろうと考えました。きっと二人のことでも、別れ話でもなく、郁也の世界のことで悩んでいるんだろう——薫はそう思いました。この頃、郁也が何か考え込んでいる雰囲気を感じとってもいたからです。

約束の時間にドトールへ行くと、そこで待っていたのは、郁也だけではありませんでした。見知らぬ女性が郁也の隣に座っています。彼女はミナシロと名乗りました。

そして、郁也は追い詰められたような顔で告白します。ミナシロが自分の子を妊娠したことを――。

どうやら郁也はミナシロにお金を払って、性行為をしていたようです。そのことをミナシロは「ビジネス」だと言います。そして、妊娠したことを「ミス」だと言うのです。そして、ミナシロは薫に、信じがたい提案をしてきました。

「子ども、もらってくれませんか？」

堕ろしたくはないけど、育てたくもないミナシロは、婚姻届を出して子どもが生まれるまで郁也と事実上の夫婦となり、出産後に離婚して、薫と郁也の二人で子どもを育ててほしいと言ってきたのです。この話は、物語の序章の序章にすぎません。なんとも複雑な感情になる展開が、この先ずっと続きます。

高瀬さんは、怒りや疑問、苦しみや悩みなど、人間が持つあらゆる感情を、あざやかに描きだします。この一冊を読めば、きっと、高瀬さんのほかの作品も、手に取らずにはいられないでしょう。ちなみに僕は、本作の登場人物の誰にも共感することができませんでした。それでも、興味深くて、一気読みしてしまった小説です。

57

“かけがえのない他人”を求める少女の物語

『N（エヌ）／A（エー）』——年森瑛（としもりあきら）（文藝春秋）

自分の思いや発言を、自分の意図とは異なる解釈、あるいは拡大解釈されてしまい、苦しい思いをしたことはありませんか？　僕にはあります。誰も悪くありません。むしろ、気遣ってもらっていました。しかし、「よかれ」と思った気遣いや優しさは、ときに人を傷つけてしまうことがあるのです。

今回ご紹介する『N／A』は、いわゆる「マイノリティ」な少女を描いた物語です。人の意見に耳を傾けること、それと同時に、耳を傾けすぎないことの重要性を学ばせてくれた一冊です。

本作は、第127回文學界新人賞を満場一致で受賞し、第167回芥川賞の候補作にも選出されました。著者である年森瑛さんのデビュー作になります。

高校二年生の松井まどかには、どうしても嫌なことがありました。それは、生理で自分の血を見ることです。

ある日まどかは、低体重になると生理が止まることを知ります。それ以降、まどかは食事を減らしていきました。まどかの体重はみるみる落ち、望み通り、生理が止まったのです。高校二年生、成長期のまどかの身長は、伸び続けています。しかし、体重は40kg弱しかありませんでした。

食べないことで生理が止まった喜びを共感してくれる人は、どこにもいません。周りの友達はおろか、SNSで探してみても、一人も見つかりません。共感どころか、心配されてしまいます。まどかは過度なダイエットをしている、拒食症だ、そんなふうに思われていました。しかしそれは、まどかが望む反応ではないのです。

まどかが求めていたのはただ一つ、〝かけがえのない他人〟でした。

ホットケーキを食べたりおてがみを送ったりするような普遍的なことをしていても世界がきらめいて見えるような、他の人では代替不可能な関係のことを、かけがえのない他人同士と名付けていた。ぐりとぐら、がまくんとかえるくんのような二人組に憧れていた。

そこに恋愛感情はなく、もちろん恋人同士の関係でもありません。まどかは、女子大生の「うみちゃん」と、この〝かけがえのない他人〟の関係を築きます。

しかし、周りの人たちの反応や、うみちゃんの行動は、まどかの想いとは違う方向に進んでいくのです。

現代人が抱える悩みや思いを、高校生であるまどかを通して掬いとる物語です。「少数派を理解しよう！ 気にかけてあげよう！」というテーマではなく、もしかしたら、マ、イ、ノ、リ、テ、ィ、で、あ、る、か、も、し、れ、な、い、自分と向き合うことを描いた小説であると、僕は感じました。

人をカテゴライズする意味はあるのか、自分をどこかにカテゴライズする意味はあるのか、日ごろから疑問に思っている方に、ぜひお読みいただきたい一冊です。

58

胎児自身に出生するかどうかを問う「合意出生制度」

『生を祝う』 李琴峰（朝日新聞出版）

一般的に、生命の誕生は、めでたいことだとされています。友人や知り合いに子どもが生まれたら、「おめでとう」と祝福するものです。僕には子どもがいないため実感はありませんが、我が子の誕生というのは、計り知れない喜びがあるのではないでしょうか。

ここで一つ、質問をさせてください。

あなたは、この世に自らの意思をもって、望んで生まれてきましたか？

こんなことを聞かれたところで、答えようがないと思います。生前の記憶などあるはずもなく、気づいたら誕生していた、というものなのですから。

もう一度繰り返しますが、生命が誕生することは「めでたいことだ」と思う人が、大半のはずです。幸せな気持ちになる人が、ほとんどでしょう。しかし、「出産＝幸せ」という式は、常に成り立つのでしょうか。新しい命が誕生することが、必ずしも幸せとは限らないとは思いませんか？

だって、生まれてくる子に、意思決定はできないのだから――。

少々乱暴な意見を述べます。不快にさせたらすみません。

子どもを作って産むことを幸せだと捉えることもできますが、一方で、子に決定権がない以上、「親のエゴ」と捉えることもできるのではないでしょうか。もしかすると、生まれてくる子は、命を押し付けられているだけかもしれません。

今回ご紹介する『生を祝う』を読んだとき、僕は自分の常識を疑いました。念のため断っておきますが、僕は、子どもが生まれることを、大変めでたいことだと思っています。ただ、場合によっては、不幸にも繋がる可能性もあるのだということを、この小説から学びました。子は、「自分が育つ環境」を選ぶことができないからです。

ではもし、生まれる前に環境の良し悪しを自分で判断し、誕生するかどうかの意思決定ができるとしたら……。『生を祝う』は、そんなｉｆの世界を描いた小説です。

この物語の舞台は、「合意出生制度」が制定された近未来の社会です。胎児に対して、親の遺伝や環境などの要因から割り出される「生存難易度」が伝えられ、生まれるかどうかを胎児自身が判断できるのです。例えば、親の貧困などにより、大変な環境で生きていかなければならない可能性が高いとき、胎児は出生を拒むことができます。子が出生を拒んだからといって、親がその気になれば、出産すること自体は可能です。しかし、出生を拒んだ胎児を産んだ場合、親は罪に問われることになります。

本の帯に載っていた作家・朝井リョウさんの推薦文に強く共感したので、全文引用させてください。

ずっと誰にも話せずにいた思いを、この小説に言い当てられた。驚き動揺し焦り——安心した。

僕も似たことを読後に思い、しばらく放心状態になってしまいました。

何が正しいのかわからなくなる結末は見ものです。価値観を根底から捻じ曲げるほどに強烈な力を持つ物語でした。

59

鋭利なナイフで胸を突き刺されたかのような衝撃

『赤泥棒(あかどろぼう)』――献鹿狸太朗(けんしかまみたろう)(講談社)

取り上げるのを躊躇うほどに、ショッキングなテーマの小説です。この小説をご紹介するには、過激な表現を避けては通れません。ご了承ください。

女装をして女子トイレに入り、使用済み生理用ナプキンを盗む男子高校生・百枝菊人(ももえだきくと)の話です。

犯罪です。菊人は、しっかり化粧をして、姉の服を着て、堂々と駅の女子トイレに入っていきます。繰り返しますが、間違いなく犯罪です。ここまでの内容で、すでに気持ち悪くてたまらないと感じた方もいるでしょう。

ただ、この彼の奇行には、ある心の事情が大きく関わっているのです。

女子トイレにある、使用済みナプキンを捨てるためのサニタリーボックスは、菊人にとっての宝箱なのです。男はこんなにも大量の血を目にする機会は滅多にない、ずるい、と菊人は本気で思っています。

そして、菊人は血のついた生理用ナプキンを手慣れた様子でジップロックに詰め込み、持ち帰ります。そう、菊人はナプキン泥棒の常習犯なのです。

ある日、いつものように獲物を手に入れた菊人が、女子トイレから出ようとしたときのことでした。突然、何者かに後ろから手を掴まれたのです。警察でも駅員でもありません。菊人と同じ高校の同級生・明石睦美（あかしむつみ）でした。菊人にとっては非常に不都合な状況です。通報されてもおかしくありません。しかし、明石のとった言動は、予想とは大きく異なるものでした。

明石の態度には、軽蔑や嫌悪といった類のものは見られません。それどころか、菊人に対して、化粧が上手いとか、女装が似合っているとか、好意的な言葉を伝えてくるのです。

会話が進むにつれ、菊人の疑問は大きくなっていきます。すると、明石は腹を括ったように、女装する彼を好意的に思う理由を語ったのです。

「制服以外で女の格好はしない」

そう、これは、性別に対して違和感を抱く高校生たちの物語です。

なぜ菊人が女装までして、使用済みの生理用ナプキンを盗み続けるのか——その理由は、実際に読んで確かめてください。

菊人の行動は、たしかに犯罪です。しかし、その理由を知ったとき、僕は、少し悲しくなりました。それと同時に、血の気が引いていくのも感じました。

近年、特定のマイノリティをテーマにしたベストセラー小説が増えています。この小説もちろんその一つであり、そして、間違いなく傑作です。ショッキングな内容ではありますが、それでも、多くの方に届いてほしいと、心から思います。

ちなみに、著者である献鹿狸太朗さんの（本書刊行時点で）最新作である『地ごく』も衝撃的な作品で、一気に引き込まれました。献鹿さんのこれからのご活躍が、楽しみでたまりません。

60

マイノリティなのは彼だけじゃない

『二木先生』――夏木志朋(ポプラ文庫)

脳裏にこびりつくほどに衝撃的だった作品があります。それが『二木先生』です。単行本では『ニキ』というタイトルでしたが、文庫版が刊行された際、『二木先生』に改変されました。

高校生の田井中広一は、自分のことを「変わり者」だと自覚しています。周りとずれているのです。例えば、大半の人がAと答える質問をただ一人だけBと答えてしまいます。その他にも、みんなが笑える方の「面白い」、いわゆる「funny」を求めているのに、一人だけ「interesting」が求められていると勘違いするのです。空気が読めない、という表現が近いかもしれません。

広一には、周りの人が求める「普通」がわかりません。それだけでなく、普通にできないことが苦しいのです。生きづらくてたまらないのです。
そんな彼は、万引きの常習犯でした。盗むのはいつも、特定の成人向け雑誌です。その雑誌に掲載されている、とある漫画を目当てにしていました。その漫画では、幼い顔立ちの少女たちが……。

ある日、広一の万引きが書店員に見つかってしまいます。事務所に連れていかれた彼は、親か学校の先生どちらかの連絡先を教えろと迫られました。

広一が選んだのは、学校の先生でした。高校生ともなると、学校の先生に万引きしたことが知られたら、退学の可能性だってあるはずです。それでも広一は、担任教師の連絡先を教えました。

広一の担任は、すぐに駆けつけました。担任教師の名前は、二木良平（にきりょうへい）。この小説のタイトル「二木先生」です。

万引きをしてしまった広一は、二木先生から厳しい指導を――受けたわけではありません。何だか様子がおかしいのです。広一も、二木先生も。

広一は、二木先生のある秘密を握っていました。そしてそれが、万引きした雑誌と関係しています。

マイノリティに属していたのは、広一だけではなかったのです。社会から弾き出されてしまうほどの、特殊な個性を持っていたのは——。

ここから物語は、誰にも言えない秘密を抱えた先生と生徒の関係を描きながら進んでいきます。登場人物一人ひとりが繊細に描かれ、まるで目の前にいるかのようで、さすがに共感はできないものの、思わず同情してしまいました。

それと同時に、自分自身の「今まで」に疑念を抱いてしまいました。「普通」とか「当たり前」とか「常識」とか、それって本当に存在するのだろうか、自分が勝手に作り上げた「架空の何か」ではないだろうか、自分の「当たり前」からずれた人を「おかしい」と思うこと自体が、おかしいことなのではないのかと思いました。

限られた登場人物の間で、静かに話が進みます。派手な事件が起こるわけでも、あっと驚くトリックが仕掛けられているわけでもありません。それなのに、読後しばらくは、物語が頭から離れませんでした。深く静かに、心に残る作品です。

61

東大卒の著者が書いた壮絶な東大受験を巡る物語

『サクラサク、サクラチル』──辻堂(つじどう)ゆめ(双葉社)

今回ご紹介する小説は、壮絶な環境下で東大を目指す男子高校生の物語です。

僕自身、これまでまともな受験をしたことがありません。さまざまな巡り合わせのお陰で、高校も大学もスポーツ推薦で進学してきました。なので、受験の事情というものがよくわからないのです。しかし、『サクラサク、サクラチル』は、そんな僕にも刺さった「東大受験」にまつわる物語です。大学受験の経験がある方、近い将来大学受験を控えている高校生には、さらに響くのではないでしょうか。

「絶対に東大合格しなさい」

信じられますか。門限は夕方四時。平日は最低でも十一時間の勉強時間を課せられ、スケジュールは五分単位で親が決める。休日は朝五時から深夜一時まで、ぶっ続けで勉強。その他にもさまざまな「ルール」があり、それを破れば折檻。成績が落ちても暴力、罵倒。

これは本作の主人公である、男子高校生の染野高志の日常でした。

高志には、奈保という姉がいます。奈保も、高志と同じような環境で、東大受験に挑んでいました。しかし、奈保の受験は二度の失敗に終わっていたのです。決して勉強ができないわけではありません。むしろ成績は優秀でした。それでも、結果は二度の不合格。以来、奈保は自室に引きこもってしまいます。

文字通り、勉強漬けの毎日は、高志にとってごく当たり前でした。これが当然だと思い込んでいたのです。

ある日、クラスメイトの星という少女から指摘されるまでは……。

星は高志に、はっきりと告げました。

「それを『虐待』っていうんだよ」

学校内で、高志はべつだん変わった行動をとっているわけではありません。しかし星は、高志の家庭環境が不審であることに勘づいていたのです。それは、彼女も高志と同様、親に苦しめられていたから――。こうして高志は、自分の家庭環境が異常であることにようやく気がつきます。

そして、ある出来事をきっかけに、親に対する二人の〈復讐計画〉が始動するのです。

物語は、一ページの短いプロローグから始まります。それがとにかくショッキングな内容で、一体この復讐計画はどんな方向に進むのかと読む手が止まりませんでした。激しい虐待の描写もあるため、読み進めるのが苦しく感じました。それでも、間違いなく素晴らしいと言える小説で、読んでよかったと心から思います。

中高生から親世代の大人まで、幅広い層に読まれるべき作品です。高校生の暗黒部分にスポットライトを当てた、苦しく切ない青春小説の結末を、ぜひ確かめてください。

62

「復讐と救済」のリーガルミステリー

『法廷遊戯(ほうていゆうぎ)』――五十嵐律人(いがらしりつと)(講談社文庫)

突然ですが、少々痛い想像をしていただきます。

あなたは今、アイスピックで右目を刺されました。激しい痛みに襲われ、右目の視力を失います。もう二度と、右目で物を見ることはできません。後日、自分の右目を潰した犯人を差し出され、「好きに復讐してもいいよ」と言われます。

あなたは、犯人にどのような復讐をしますか?


今回ご紹介するのは、リーガルミステリー『法廷遊戯』です。この小説を一言で表すなら、「復讐と救済」がぴったりだと思います。

主要な登場人物は、法律家を志す若者、久我清義(くがきよよし)、彼と同級生の織本美鈴(おりもとみれい)、結城馨(ゆうきかおる)の三人です。彼らは、同じロースクール(法科大学院)に通っていました。

後に、ある事件で馨は命を落とします。その裁判の被告人は美鈴であり、清義は彼女の弁護人となるのです。

清義と美鈴は、同じ児童養護施設の出身です。また、命を失った馨は、ロースクール在学中に司法試験に合格するほどの優れた学生でした。

この三人には、心に深く刻まれた古傷と、遠い過去の重要な接点がありました。その過去の接点が、馨の死の謎を解く鍵となるのです。

さまざまなピースが散らばり、それら一つひとつが真相へと繋がる複雑な物語です。簡潔に説明することができず、もどかしいばかりですが、だからこそ、実際に読んでいただきたいと思います。

複雑ではあるのですが、読みにくさは全く感じません。物語のピースが次々とはまっていく感覚はちょっとした快感で、ページをめくる手が加速するばかりでした。

この小説を読むことで、「罪」に対する意識が大きく変わるかもしれません。少なくとも僕は強い影響を受けました。

さて、最初の質問に戻りましょう。右目をアイスピックで刺されたあなたは、犯人にどのような復讐をしますか？　中には、犯人の命を奪ってやりたいと思う方もいるかもしれません。とはいえ、右目を奪われた代償として命を求めるというのは、さすがにやりすぎな気もします。

「目には目を」という言葉にもあるように、受けた被害と同等の罰を相手に与えること——それが、刑罰の基本です。この考え方は、『法廷遊戯』のストーリーにも大きく関係します。

そして、最初の質問に「アイスピック」を用いた理由も、『法廷遊戯』を読めばお分かりいただけるはずです。

63

メッセージに隠された本当の意味にあなたは気づけるだろうか

『私が先生を殺した』――桜井美奈（小学館文庫）

SNSで紹介しただけなのに、TikTokに投稿した動画はコミュニティガイドラインに抵触したと判断されて削除。YouTubeでも年齢制限がかかってしまった小説があります。それが、『私が先生を殺した』です。

学校という組織の表も裏も、光も闇も知れてしまう物語で、400ページ以上あるものの、グイグイ読み進めることができます。

これは、ある学校で起こった悲劇の物語です。全校生徒がグラウンドに集まり、避難訓練をしていたときのことでした。校長先生の長い話に生徒たちが飽き飽きしはじめた頃です。

「ねえ……あそこに誰かいない？」

異変に気がついた一人の生徒が屋上を指さします。その声を受けて、生徒たちは次々と屋上を見上げました。屋上のフェンスの外側に、人の姿があったのです。そこにいたのは、学校一の人気教師でした。

「マジで?」『ヤバすぎるだろ!」生徒たちは騒ぎはじめます。悲鳴も飛び交います。「バカなことはするな」「動くんじゃない!」と怒鳴るように教師たちが声を飛ばします。

しかし、その人影がフェンスの中に戻る気配はありません。学校は、異様な緊張感に包まれました。そして、その場にいた全員が最悪の事態を想像しはじめた矢先、制止の声も虚しく、人気教師の身体は宙を舞いました。そして、真っ逆様に地面に叩きつけられたのです。砕け散るような音がグラウンドに響きました。屋上からの飛び降り自殺です。

どうしてこんなことになってしまったのか——人気者だった教師が起こした悲劇の真相は、誰にも分かりません。しかし、事態は急変します。自殺した教師が担任を務めるクラスの黒板に、戦慄が走るほどのメッセージが残されていたのです。

私が先生を殺した

この事件は自殺ではなく、何者かによる犯行だというのでしょうか。そして、このメッセージを書いたのは、一体誰なのでしょうか。

物語が進むごとに、少しずつ謎が紐解かれていきます。


次々とテンポ良く進むストーリー、そして、読者への配慮と思いやりが垣間見える筆致に、読む手が止まらなくなった小説です。中盤から「まさか……」と思う展開が待ち受けています。学校一の人気教師の死と、タイトルにもなっている「私が先生を殺した」というメッセージの意味とは何なのか、ぜひ実際に読んで確かめていただきたいです。

ラストにはさまざまな解釈の余地があるので、読後の考察も楽しめる物語です。僕はとっくに社会に出ている身なので、現在、中学生・高校生・大学生の方がこの小説を読んで何を思うのかが気になってたまりません。

64

不確かな情報が無作為に拡散されるSNS社会へ

『殺(ころ)したい子(こ)』――イ・コンニム、矢島暁子(やじまあきこ)訳(アストラハウス)

昨今、SNSではスキャンダラスな話題が飛び交うようになりました。そして、「こいつは叩いても大丈夫」と一方的に判断された者に対して、不特定多数のアカウントから、誹謗中傷や罵詈雑言の嵐が降り注ぎます。

その光景に、僕は違和感を覚えていました。もし仮に、叩かれている人に落ち度があったとしても、そこまで貶める必要はあるのだろうか、と。また、なぜ人は胸が痛くなるような話題に惹かれてしまうのだろうかと、ずっと疑問に思っていたのです。

もちろん僕も例外ではなく、ポジティブな話題よりもネガティブな話題に目が向いてしまいがちです。僕が暗い雰囲気の小説を好むのも、ネガティブな話題に目が向いてしまうことと、根は同じかもしれません。

なにより恐ろしいのは、その話題の真偽がわからないまま、無関係な大勢の憶測によって、話が一人歩きしていくことです。一度拡散されてしまった話題は、いつまでもインターネット上に残り続けます。それがたとえ、虚偽の情報であったとしても、ずっと残り続けるのです。

今回ご紹介する『殺したい子』は、僕がずっと疑問に思っていたことを言語化してくれたかのような小説です。

物語は、悲惨な事件から始まります。ある高校で起こった、女子高生殺人事件です。被害者の名は、パク・ソウン。そして、犯行の容疑をかけられているのは、ソウンの親友とされているチ・ジュヨンでした。ある同級生の証言によれば、二人はいつも一緒にいたとのことです。

事件当日、ソウンとジュヨンは、大げんかをしていました。しかし、ジュヨンはソウンの死がショックだったのか、けんかの経緯を覚えていません。それどころか、その日の記憶自体が曖昧なのです。そんな中でも、一つだけ確かなことがありました。それは、自分が犯人ではないということです。

ところが、同級生や学校関係者などによる多くの証言から、ジュヨンは追い詰められていきます。ある者は、ジュヨンがソウンに嫌がらせをしていたと話します。またある者は、二人は奴隷と主人のような関係だったと話すのです。ジュヨンは裕福な家庭で育ち、ソウンは貧しい家庭で育ちました。だから、ジュヨンはソウンに、不要な靴や服を譲っていたのです。だからと言って、奴隷のようにした覚えは全くありません。

事件は証言が増えるごとに真相へと近づいて――いや、見方を変えれば遠ざかっているともいえます。激化する報道や、度重なる証言。その中には、真実もあれば、根拠のない憶測もあります。そして、心無い言葉のナイフがジュヨンに降りかかるのです。何が本当で、何が嘘なのでしょうか。ジュヨンは本当に犯人なのでしょうか。

ＳＮＳが大きく関わる物語ではありません。しかし、ＳＮＳが普及した近年の社会における風刺であると感じます。ときに言葉は凶器となり、命をも奪ってしまう可能性があることを、この小説で再確認しました。

65

号泣させられた社会派ミステリー

『正体(しょうたい)』──染井為人(そめいためひと)(光文社文庫)

普段、僕は小説や映画で涙を流すことは滅多にありません(特に映画では、まず泣きません)。それでも、溢れ出る涙が止まらなかった、そんな社会派ミステリー小説があります。それが『正体』です。

この小説を知ったきっかけは、オーディオブックでした。オーディオブックは、プロの朗読で物語を聴けるサービスで「聴く読書」とも言われています。電車での移動時間や家事などをしているときに僕はよくオーディオブックを使っています。オーディオブックで『正体』を選んだことに、深い理由はありません。アプリのトップ画面に表示されていたので、なんとなく選びました。CDのジャケ買いに近い感覚です。

朗読がまだ五分の一も終わってない段階で、僕は聴くのをやめました。あまりにも衝撃的で、「これは、紙の本で読まなければ」と思ったからです。

物語は平成最後の少年死刑囚による脱獄から始まります。彼の名は、鏑木慶一。鏑木は、夫婦とその二歳の子、一家三人を殺害したとして、死刑判決を受けていました。世間は凶悪な殺人犯として彼を恐れ、また、少年死刑囚ということもあり、事件は大きな注目を集めていました。そんな鏑木の脱獄により、メディアは再びこの事件を大きく取り上げたのです。

しかし、この一家惨殺事件には、不可解なところがありました。一家の中で、なぜか一人だけ殺されなかった人物がいたのです。それは、被害者夫婦の夫側の母である五十代の女性でした。

ここまでがプロローグです。続く一章は、鏑木の脱獄より四五五日目から始まります。舞台は千葉県にある老人グループホームです。その施設には、若年性アルツハイマーを患った、まだ五十代の女性が入所していました。彼女は頻繁に、とある夢を見ます。刃物を持った男に幼い孫と息子夫婦が襲われるという、恐ろしい悪夢でした。

そう、彼女は一家惨殺事件で唯一生き残った、あの母親だったのです。

ある日、求人を見たという一人の青年がグループホームの面接に訪れました。彼の名は、桜井翔司。言葉遣いが丁寧で、礼儀正しく、受け答えもはっきりとしています。提出書類の緊急連絡先が空欄であることなど、どこか不可解なところはあるものの、人手不足だったこともあり、施設側は桜井の採用をすぐに決めました。

察しがついているかもしれませんが、鏑木と桜井は同一人物です。物語の序章時点で、鏑木と桜井が同一人物であることはどう考えても明白なのです。桜井はあの凶悪脱獄犯なのです。

ではなぜ、リスクを負ってまで、鏑木は被害者遺族に近づこうとしたのでしょうか。

物語が進むにつれて、徐々に鏑木慶一の「正体」が見えてきます。ラストのやるせなさと悔しさは忘れられません。そして同時に、「本当に読んでよかった」という気持ちが、ふつふつと湧き上がりました。

ぜひ文庫版の巻末に収録された、著者の染井為人さんによる「あとがき」までじっくり堪能してください。あとがきを読んで、さらに涙が溢れ出しました。

66

ゴリラが主人公の「ヒューマンドラマ」

『ゴリラ裁判(さいばん)の日(ひ)』——須藤古都離(すどうことり)（講談社）

夫を殺されたメスのゴリラが裁判を起こす話です。

一体なにを言ってるんだ？　そう思われたかもしれません。僕も読む前は、全く意味が分かりませんでした。しかし、読み進めていくうちに、疑問や違和感はすべて払拭されていきます。そして、読み終える頃には、この小説がまぎれもない「ヒューマンドラマ」の傑作であることに気づくのです。

物語の舞台は、アメリカの動物園。この動物園には、ゴリラを飼育している人気施設「ゴリラパーク」がありました。ある日、そこで事故が起こります。ゴリラを見にきていた四歳の子どもが、「ゴリラパーク」の柵を越え、飼育エリア内に落ちてしまったのです。居合わせた多くの客は慌てふためき、パニック状態に陥ってしまいます。

しかし、それは人間だけでありません。ゴリラだって、突然のことに大きく混乱していたのです。

そして、群れのリーダーであるゴリラは、男の子を捕まえて、引きずり回してしまいます。「このままでは男の子の命が危ない！」と誰もがそう思った直後のことです。パァンと乾いた音が、周囲に鳴り響きました。動物園のスタッフがゴリラを射殺したのです。麻酔銃を使うことなく、最初から実弾で、確実にゴリラの命を絶つ選択をしたのです。

咄嗟の判断のおかげで、確かに男の子の命は救われました。しかし、その代わりに、ゴリラの命は奪われたのです。はたしてこれは、正しい決断だったのでしょうか。それとも、許されざる「殺傷事件」なのでしょうか。

ここから、動物園を相手に裁判が始まります。訴えたのは、殺されたゴリラの妻であった「ローズ」という名のメスのゴリラです。そう、タイトル通り、ゴリラであるローズが裁判を起こしたのです。

動物園にいるゴリラが、人間を相手に裁判を起こす話――これは決して、メルヘンな物語ではありません。では一体、どのようにして裁判は行われたのでしょうか。そもそも、ゴリラであるローズがなぜ裁判を起こすことができたのでしょうか。

この謎には、ローズの生い立ちが大きく関わっています。ローズのことは、メスのゴリラというより、「一人の女性」と表現すべきかもしれません。ローズの生い立ち、そして裁判の結果については、ぜひ実際に読んで確かめてください。


この物語のテーマは、人間と動物の命はどちらが重たいか、といった単純な問いではありません。ゴリラが裁判を起こすという設定だけを見ると、なんだか突拍子もない話のように思えます。しかし、この物語は、極めてロジカルに進むのです。

主人公はゴリラです。しかし、この小説をジャンル分けするならば、僕は「ヒューマンドラマ」がぴったりだと思っています。

67

一度インターネットの海に放り投げてしまうと、もう二度と引き返せないんだよ

『さらさら流る』——柚木麻子（双葉文庫）

　インターネットの発展やＳＮＳの普及によって、何をするにも便利な時代になりました。一方で、ＳＮＳにまつわるトラブルは尽きません。「バイトテロ」を筆頭に、仲間うちで共有するつもりのおふざけで撮った動画を誰かがインターネットにアップロードし、炎上してしまうようなトラブルが頻繁に起こっています。ＳＮＳなどに動画を投稿することが、どのようなリスクを孕んでいるのか、理解できていないのでしょう。

　その中でもたちが悪いのは、人を巻き込む投稿です。例えば、「リベンジポルノ」。一度インターネットの海に放り出されてしまった画像や動画を完全に消すことは不可能です。インターネットの世界には、大きな危険が潜んでいるのです。

『さらさら流る』は、昔の交際相手に裸の写真を晒されてしまった女性のお話です。苦しい内容で、読むのにとても時間がかかってしまいました。その反面、学校教育に取り入れたほうがよいのではないかと思うほどに、大切なことを教えてくれる小説です。爽やかな表紙からは想像もできないほど壮絶な物語ですが、多くの方に届いてほしいと思っています。

本作は、『BUTTER』や『ランチのアッコちゃん』など、多くのベストセラーを生み出してきた柚木麻子さんによる、隠れた名作です。

コーヒーチェーンの広報部で働く二十八歳の井出菫（いですみれ）は、調べものをしているとき、インターネット上に、自身の裸が写っている画像を見つけます。この写真を撮影したのは、かつての交際相手、垂井光晴（たるいみつはる）です。確かに菫は一度だけ撮影を許可したことがありました。許可といっても複雑な事情があり、その後にはデータを目の前で消去させています。しかし光晴は、その写真を完全には消去していなかったのです。

写真は六年前のものでした。それがなぜ、今ごろになってインターネットで出回っているのか、菫は不思議でたまりません。

もちろん、悪いのは光晴であり、菫はあくまで被害者です。にもかかわらず、菫は胸を張って被害者と言えないのです。これが、晒されるということの一番怖いところだと思いました。世間には、「撮らせるほうが悪い」と思う人も少なくないのです。

それればかりか、会社で仕事をする、爪を綺麗にする、スイーツを食べる、あらゆる日常の行動に対して、そんなことができているなら大丈夫だろう、という偏見の目で見る人だっています。


SNSなどを使ってインターネットに情報を公開すると、もう後戻りはできません。だからこそ、責任を持つ必要があります。投稿するその画像が、動画が、言葉が、誰かを不幸にしてしまわないか、しっかりと考えなければならないのです。

僕自身、SNSで情報発信し続けている身であることも関係して、この物語を他人事にはできませんでした。『さらさら流る』は現代社会における必修科目です。

68

気がつかないうちに「当たり前」に縛られていませんか？

『ブラザーズ・ブラジャー』――佐原ひかり（河出書房新社）

「好き」を貫き通すことは、こんなにもかっこいいことなんだと思わせてくれた小説があります。それが『ブラザーズ・ブラジャー』です。

ブラジャーを着けている男子中学生がいると聞いたら、どのように感じるでしょうか？　きっと驚く方や疑問に思う方がほとんどだと思います。

僕も同じです。どうしてだろうと疑問に思いました。でも、その疑問は、僕が人生を送る中で勝手に確立してしまった「当たり前」が原因となっているのではないかと、この小説を読んで思いました。

この物語では、血の繋がりのない姉弟の日常が描かれています。

高校生の姉である、ちぐさには、血の繋がりのない弟がいます。中学生の晴彦（はるひこ）です。

ちぐさの父親と晴彦の母親が再婚したため、四人家族として共に暮らすことになりました。

ちぐさには、ブラジャーに対する憧れがありました。中学の途中で発育が止まってしまい、ずっとスポーツブラを着けていたからです。それは、ちぐさにとって、コンプレックスでもありました。

ちぐさには、交際している同級生がいます。そういう雰囲気になることがあっても、女らしくない下着ではガッカリされてしまうと思い、前に進めません。

だったらブラジャーを買えばいい、それだけのことです。しかし、ちぐさにとって、それは大きなハードルになっていました。専門店に一人で入るのが怖くて、「下着のことが分からないからついてきて」と友達に頼む勇気もないし、血の繋がりのある家族は父親だけなので、家族にも頼むことができません。こうして、いつまでもブラジャーを買えないままでいたのです。

ある日のこと、ちぐさは間違えて晴彦の部屋を開けてしまいます。そこで目にしたのは、男である晴彦がブラジャーを着けている姿でした。晴彦は、光沢があり、羽根のようなレースのあしらわれた黒色の美しいブラジャーを着けていました。

その姿を見たちぐさは思います。晴彦は心が女の子なんだろうと。しかし、それは見当違いでした。晴彦はただ純粋に、ブラジャーを〝ファッションとして〟着けていたのです。デザインや刺繍、形に魅力を感じて着けていたのです。

一方、自分の「好き」を優先してブラジャーを身に着ける晴彦。

ブラジャーに憧れを抱いているのに、踏み出せないままでいるちぐさ。

「好き」という気持ちに、性別は関係あるのでしょうか？

必ずしも、そうではないですよね。冷静に考えれば、そんなことは当然のはずなのに、

「好き」を世間の「当たり前」に合わせなければならないのでしょうか？

固定観念が邪魔をして思考を停止させていることを、この小説で思い知らされました。

少し変わった家族の話であり、苦しさと甘酸っぱさの詰まった人間関係の話でもあ

り、価値観や在り方を問われる「好き」と青春の物語です。

重いテーマに見えるかもしれませんが、読後感はとても爽やかなので、肩の力を抜

いて、ゆったりと本を読みたいときにおすすめの一冊です。

69

数字や音や人が「色」に見えてしまう特殊な感覚

『檸檬先生』――珠川こおり（講談社文庫）

この世の中には、数字や音や人に対して、「色」が見えてしまう人がいることをご存じでしょうか。この感覚を、「共感覚」といいます。架空のものではありません。実際に、共感覚を持つ人は存在します。共感覚は、人口の数%の人しか持たないと考えられている認知特性です。

今回ご紹介する『檸檬先生』は、共感覚に苦しむ少年と、その少年が愛した少女の物語です。

この物語は、衝撃的なプロローグから始まります。

小学三年生の少年は、クラスメイトから「色ボケ」と呼ばれていました。共感覚のせいで周りよりも劣るところが目立っていたからです。例えば、算数の九九。小学二年生で学ぶ内容であり、基本中の基本で、九の段までは身についている人が多いと思います。

しかし少年にとって、九九はまぎれもない難問でした。数字が色に見えるため、計算どころではありません。少年の目には、一が白に見えています。二が赤に見えています。どんなに一生懸命考えても、答えまで辿り着くことはできません。数字が色に見えてしまっては、計算のしようがないのです。

色に見えてしまうのは、数字だけではありませんでした。少年の目には、他人の顔さえ色に見えるのです。さらには、名前までもが色に見えてしまいます。これでは、普通に生活するほうが難しいでしょう。少年はクラスに馴染めず、常に浮いていました。また、複雑な家庭環境から、家にも居場所がありません。

そんな不思議な感覚を持つ少年にも、唯一安らげる場所がありました。音楽室です。ある日、その場所で運命的な出会いが起こります。少年の通う学校は、一貫教育のため、同じ校舎で中学生も学んでいます。少年が音楽室で出会ったのは、中学三年生の女生徒です。彼女も、少年と同じ共感覚を持っていました。そして、彼女もまた、共感覚によって孤独な思いをしていたのです。

二人は、共感覚を持つ者同士ということもあり、すぐに意気投合しました。少年の目には、彼女が檸檬色に見えます。だから、彼女のことを「檸檬先生」と呼ぶようになりました。

これは、少年が檸檬先生と出会い、彼女からさまざまなことを学び、いつしか彼女を愛すようになり、そして、檸檬先生が自ら命を絶つまでの物語です。

前述した「衝撃的なプロローグ」とは、檸檬先生の死の描写のことです。アスファルトに赤黒い水溜りを作り、その中心に四肢を投げ出して絶命している彼女の姿を少年が目にするところから、物語は始まります。

自らの命を犠牲にしてでも成し遂げたかった檸檬先生の芸術の秘密を、ぜひ確かめてください。

共感覚という未知のものを教えてくれた作品であり、同時に、理解すること、そして受け入れることの大切さを学ばせてくれた作品でもあります。

間違いなく、多くの方に寄り添う、愛に満ちた物語です。

70

復讐劇の先にある衝撃的な結末は、一生忘れられない

『さまよう刃（やいば）』——東野圭吾（ひがしのけいご）（角川文庫）

正直なところ、気軽におすすめできる内容ではありません。それでも、一度は本を開いてほしい、知ってほしいと思う小説です。この紹介文にも、センシティブでショッキングな表現が含まれますので、ご了承ください。

『さまよう刃』は、僕の心に深く刻まれた小説です。読んだ当初の衝撃はすさまじく、僕はこの物語を一生忘れることはないでしょう。

最愛の娘を奪われた父親の話です。彼の名は、長峰重樹（ながみねしげき）。妻を亡くして以来、男手一つで娘の絵摩（えま）を育ててきました。絵摩は高校一年生で、母親を亡くしていながらも、明るく素直な子に成長しました。長峰が絵摩に愛情をかけて、大切に育ててきたのです。

ある日、絵摩は友達と花火大会に出かけます。それを最後に、絵摩が長峰の元へ生

きて帰ってくることはありませんでした。

花火大会の帰路、絵摩は少年グループに襲われたのです。主犯格である二人の少年に薬物を注射され、陵辱を受けました。暴力の末、絵摩の命はあっけなく奪われてしまいます。死因は、薬物による急性心不全でした。

花火大会から数日後、絵摩の遺体は、荒川の河川敷で発見されました。少年らが死亡した絵摩の遺体を遺棄したのです。長峰には事件の真相を知らされていませんでした。もしかすると、知らないほうがよかったのかもしれません。

絵摩の葬儀も終わり、しばらく経った頃、悲しみの淵から立ち上がれないままの長峰の元に、匿名の密告電話がかかってきます。その内容は、犯人の名前と居場所を告げるものでした。

半信半疑ではありながらも、長峰は電話で伝えられた場所へ向かいます。そこは古びたアパートの一室でした。密告電話で伝えられた通り、郵便受けの内側には鍵が隠されています。少年らは留守でした。長峰は誰もいない部屋へと上がり込みます。部屋を物色していると、複数のビデオテープが目に入りました。嫌な予感がしつつも、おそるおそる確認してみると、モニターには最愛の娘が陵辱される様が映し出されたのです。

娘の死の真実を知った長峰の心に復讐の火が灯ります。帰宅した主犯格の一人を、その場で惨殺。ここから、もう一人の犯人を見つけ出し、自らの手で復讐を遂げるための追走劇が始まります。まるで「さまよう刃」のごとく、長峰は命懸けでもう一人の少年を追うのです。

この物語には「少年犯罪」と「少年法」が大きく関わります。警察組織は何のためにあるのでしょう。司法とは、法律とは、何のためにあるのでしょう。「正義」とは、いったい何なのでしょうか……。

数日間どころか、今でも引きずっているほどの読書体験になっています。

長峰の復讐劇の先にある、衝撃的な結末を、ぜひその目に焼き付けてください。

71

ドラマ『相棒』の脚本を書いた著者の傑作長編ミステリー

『犯罪者』――太田愛（角川文庫）

今まで読んできた小説に順位をつけることほど難しいものはないと思います。しかし、『犯罪者』は迷うことなく、僕がこれまで読んできた小説TOP5には入る作品です。上下巻で960ページを超える大作ですが、続きが気になって仕方ない緻密なプロットと力強い筆致によって、気づけばあっという間の読了でした。

著者の太田愛さんは、大ヒットドラマ『相棒』や、ウルトラマンシリーズ最高傑作との呼び声高い『ウルトラマンティガ』の脚本を手掛けた、言わずもがなの腕を持つストーリー・テラーです。『犯罪者』が小説デビュー作にあたりますが、期待を裏切らないどころか、想像をゆうに超える濃度の高いミステリーでした。

まずは、物語の鍵を握る「メルトフェイス症候群」の説明をさせてください。これは、本作に登場する奇病です。「バチルスf50」という菌に感染することで発症し、眼球を含む顔面の組織が次々と壊死していく悪魔のような病になります。

肝心の物語は、白昼の駅前広場での通り魔事件から始まります。犯人は黒いフルフェイスのヘルメットを被り、ハイカラーの黒いエナメルロングコートに、黒いエナメルの手袋、そして黒いエナメルのブーツを身につけていました。いかにもな格好です。出刃包丁を使い、広場にいた人々を次々と襲い、被害者五人のうち、四人が帰らぬ人となってしまいました。ただ一人、何とか助かることができたのが、繁藤修司（しげとうしゅうじ）という青年です。

修司は搬送された病院で、奇妙な男から、他の四人の安否を尋ねられます。すでに亡くなったことを伝えると、その男はがっくりとうなだれました。そして、必死の形相で、修司に訴えるのです。

「あと十日。十日、生き延びれば助かる。生き延びてくれ。君が最後の一人なんだ」

その後、修司はまた何者かに襲撃されます。そこでも運良く助かったものの、いかんせん自分が狙われる理由が全くわかりません。

この通り魔事件とは別に、世間では、離乳食を必要とする多くの幼い子どもたちが、メルトフェイス症候群に一斉感染するという未曽有の事態が起こっていました。

全く関係なさそうなこの二つの出来事。しかし、その裏では大きな悪が蠢（うごめ）いていたのです。

物語だけでなく、キャラクターも非常に魅力的な作品です。修司に加え、はみだし刑事の相馬（そうま）と、相馬の友人である博覧強記の男・鑓水（やりみず）の三人を中心に、この物語は進みます。大長編ということもあり、主要登場人物が一人ひとり丁寧に深掘りされた小説なので、思わずキャラクターごと愛してしまう作品でした。

脳内で勝手に映像化されてしまうほどに想像力をかき立たせる筆力には、強い感銘を受けます。きっと、最初の数ページを読むだけで、その筆力に圧倒されるはずです。

複雑に絡まり合う二つの事件の真相を、ぜひ960ページを超える物語の果てで確かめてみてください。

72

血が沸騰するほど熱いハードボイルド小説

『孤狼の血』――柚月裕子（角川文庫）

刑事部捜査二課。暴力団をはじめとする、詐欺や薬物事犯に立ち向かう部署です。『孤狼の血』は捜査二課の人間たちが繰り広げる、文字通り命がけのハードボイルド小説になります。プロローグから始まる『孤狼の血』は、エピローグを読むまで気が抜けない、疾走感溢れる物語でした。まさに「仁義なき戦い」です。

舞台は昭和63年の広島。呉原東署二課暴力団係に、物語の主人公である新米刑事・日岡秀一が赴任してきました。日岡は、暴力団係班長である大上章吾の元に配属されます。

大上は、県警内で良くも悪くもさまざまな評判が飛び交っている問題人物です。数々の難事件で犯人を捕らえてきた敏腕刑事ではあるものの、処分歴も多いことで知られていました。それに、暴力団との関係も囁かれているのです。しかし、とある事情があって、大上には上層部もうかつに手を出せないでいました。

大上は、見た目も発言も行動も、刑事と言うよりまるでヤクザのようで、

「なに、ぼさっとしとるんじゃ！　上が煙草を出したら、すぐ火つけるんが礼儀っちゅうもんじゃろうが！」

赴任してきたばかりの日岡に対して、どこぞの組長かと思わせるような恫喝ぶりです。その後も日岡は、加古村（かこむら）組という暴力団の組員と喧嘩をさせられるなど、赴任初日から大上によって散々な目に遭わされます。

その夜、日岡は大上らの行きつけである、「小料理や　志乃」に連れて行かれました。そこで日岡に、「志乃」の女将・晶子（あきこ）は言います。

「ここにはねえ、ガミさん、気に入った人しか連れてこんのよ」

こうして始まった日岡と大上の関係。ここから大上班は「上早稲（うえさわ）事件」を追います。加古村組が深く関わる闇金融の経理をしていた、上早稲二郎（じろう）という男が失踪した事件です。

裏社会と対峙するとき、物事はそう簡単に進んではくれません。大上は、時に横暴

な違法捜査を強行しながら、事件解決に挑みます。しかし、度重なるトラブルと、凶悪な組同士の抗争が今まさに始まろうとしていて――。

なぜ大上が日岡を気にかけているのか、暴力団と通じているという噂は本当か、ルール無用な大上の正義とは一体どこにあるのか。この物語は、大上の過去と、赴任してきた日岡自身、そしてある人物が大きな鍵を握っています。

『孤狼の血』には、「仁義なき戦い×警察小説」というキャッチコピーがつけられています。こういったジャンルを普段読まない、あまり興味がないという方にも、ぜひ読んでいただきたいです。

最後に、男性読者として一言だけ感想をお伝えします。

男心を無性にくすぐられる、熱い物語でした。

73

ユーモア溢れる恐怖の風刺文学

『動物農場』――ジョージ・オーウェル、山形浩生訳（ハヤカワepi文庫）

イギリスにおける20世紀最高の小説家と言われた、ジョージ・オーウェルをご存じでしょうか。ジャーナリストとしても知られる彼の書いた『一九八四年』という小説は、全体主義の監視社会を痛烈に描きだした「ディストピア小説」の金字塔として知られ、文学だけでなく幅広い分野に多大な影響をもたらしました。

今回は、『一九八四年』と並ぶ、オーウェルのもう一つの代表作、『動物農場』を紹介させてください。何度も読み返している、僕の大好きな海外文学作品です。登場人物が主に動物という、寓話形式で描かれた風刺文学となっています。

物語は、ある農場で飼われている動物たちの不満から始まります。輪になった彼らの中心には、メイジャーという名の、大変に知能の高い豚がいました。彼は、人間の手から解放され、動物だけの楽園を作り上げようと熱弁をふるっていたのです。

メイジャーの言葉によって、動物たちの思想が徐々に変わりつつありました。その後、すでに年老いていたメイジャーは、この世を去ることとなります。動物たちは、メイジャーの死を悼みました。勇敢な彼を、心から尊敬していたからです。

この出来事をきっかけに、動物たちは団結しました。そして、飲んだくれで残忍な農民に反乱を起こし、人間たちを農場から追い出すことに成功します。ついに、動物による動物のための楽園を作り上げたのです。

メイジャーの死により、動物農場の統制は三匹の豚によって受け継がれました。ナポレオン、スノーボール、スクィーラーです。彼らは「七戒」を作りました。

1. 二本足で立つものはすべて敵。
2. 四本足で立つか、翼がある者は友。
3. すべての動物は服を着てはいけない。
4. すべての動物はベッドで寝てはいけない。
5. すべての動物は酒を飲んではいけない。
6. すべての動物は他のどんな動物も殺してはいけない。
7. すべての動物は平等である。

さらには、動物たちへの教育を始めました。動物たちは文字を読めるようになり、中には文字を書けるようになる者まで現れます。

しかし、いつしかナポレオンは、独裁的な思想を持つようになるのです。そのことに難色を示したスノーボールが、強制的に退任させられたことにより、動物農場はしだいに混乱をきたしていきます。ナポレオンの偏った思想と、頭の悪い動物たちを利用しようとする動きは、日を追うごとに加速していきました。もちろん、それに納得できない動物も現れますが、スクィーラーの巧みな弁舌により、動物たちはまんまと流されてしまいます。

そしていつしか、「七戒」さえもナポレオンたちによって都合の良いものに変えられていくのです。

本作は、スターリンによる独裁政権が行われていた、旧ソビエト連邦への風刺となっています。登場人物が動物なので、どことなく牧歌的な印象を受けますが、内容としてはゾッとするようなものです。

また、物語の後に掲載されている「報道の自由：『動物農場』序文案」が大変興味深いので、ぜひ、こちらもあわせて読んでいただきたいと思います。

歴史を学ぶきっかけにもなる、ジョージ・オーウェルによる名著です。

74

もし人生の末路が決まっていたら、一生を全うできるだろうか

『わたしを離さないで』――カズオ・イシグロ（ハヤカワepi文庫）

僕が高校二年生の秋頃、母方の祖父が亡くなりました。部活帰りの僕が実家の玄関を開けると、そこには父が待っていて、深刻な表情を浮かべて、祖父の死を教えてくれました。母はすでに祖父の家に行っていました。

そのとき、僕は身近な人の死を体験するのが初めてだったので、どうにも不思議な気持ちになりました。その夜はいつも通り食事をして、いつも通り眠りにつきました。翌朝は、いつも通り学校に行きました。ただ、葬儀があるため、学校と部活動を休む必要があります。その旨を伝えるために「祖父が亡くなったため、数日間、お休みをいただきます」と顧問の先生にそう話した途端、涙が止まらなくなりました。そのときようやく、僕は祖父の死を実感したのです。

ある小説を読んだとき、祖父が亡くなったときのことを思い出しました。それが、今回ご紹介する『わたしを離さないで』です。ノーベル文学賞受賞者であり、長崎県出身のカズオ・イシグロさんによる名著です。

『わたしを離さないで』は、臓器を提供するために生まれ、臓器を提供するために生きるクローン人間たちを、「介護人」の視点で描いた物語です。クローン人間である彼らは「提供者」と呼ばれます。

主人公である三十一歳のキャシー・Hは、優秀な介護人です。介護人とは、提供者が目的を遂行するまで、つまり、臓器が提供されるまでの間、お世話をする人のことを指します。臓器提供の先に待ち受けるのは、もちろん死です。

提供者たちは、運命に抗おうとしません。受け入れています。臓器の提供が自身の死に繋がっていることを理解した上で、運命を受け入れているのです。

キャシーは、幼少期を「寄宿施設へールシャム」で過ごしました。ヘールシャムはのどかな学園で、さまざまな思い出が残っています。しかし、一つだけ、普通の寄宿施設とは異なる点がありました。キャシーを含む子どもたちに、親の訪問がないのです。それどころか、外から誰も来てくれません。

本作はキャシーによる一人語りで進み、過去の思い出とヘールシャムに隠された謎が解き明かされていきます。

結末は、実に見事です。死ぬことだけでなく、生きることに対しての〝切なさ〟に気づかされました。本作を読んで祖父の死を思い出したのは、この物語に「生」が宿っていたからではないかと思っています。

誰だって、最後は死ぬのです。そのことがわかっているのに、なぜ、人々は必死になったり、怒ったり、恋をしたりするのだろう——そんなことを、深く考えました。

物語を読みはじめると、これはなんのことだろう、と疑問に思うポイントがいくつも出てくるはずです。その疑問を、頭の片隅に置いたまま読み進めてください。すべてが繋がったとき、見えていた景色が一変するはずです。

75

僕の人生を大きく変えた大切な一冊

『白夜行(びゃくやこう)』——東野圭吾(ひがしのけいご)(集英社文庫)

僕の人生に大きな影響をもたらした、一冊の本があります。それが『白夜行』です。ふらりと訪れた書店で目に入り、直感に導かれるように手に取った小説でした。思い返せば、黄色を基調としたカバーが特徴的なその一冊に、強く導かれていた気がします。

当時、大学に入学したばかりの僕は、小説とはまるで無縁の生活を送っていました。つまり、初めて読んだ小説が『白夜行』なのです。夢中になって読んだことを、今でも鮮明に覚えています。

とある殺人事件から始まるこの物語は、被害者の息子・桐原亮司(きりはらりょうじ)と容疑者の娘・西(にし)本雪穂(もとゆきほ)を中心に進みます。第一章では、二人はまだ小学五年生でした。章が進むごと

に二人も年齢を重ね、やがて大人になり、徐々にクライマックスへと近づいていきます。
亮司と雪穂、この二人が軸となって進む物語であることは間違いありません。しかし、二人の視点で書かれることが、一切ないのです。それぞれの身近な人の視点を頼りに、二人の様子が描かれていきます。二人が何を考えているのか、何を目的として行動しているのかは、読者の想像に委ねられるのです。

脳内で勝手に映像が再生される文章を初めて読みました。想像を掻き立てられることがこんなにも楽しいなんて、それまでの僕は知りませんでした。ページをめくる喜び、謎が紐解かれていく驚き、終わりが近づく名残惜しさ――僕にとって、すべてが未知の体験でした。

そして何よりも、読書の素晴らしさを教えてもらいました。

決して大袈裟ではありません。『白夜行』を生み出した著者の東野圭吾さんは、僕の人生を良い方向へと導いてくれた恩人です。

あのとき、『白夜行』を手にしていなければ、僕がＳＮＳを使って小説紹介をすることはありませんでした。この文章を書くことも、あり得ませんでした。もっと踏み込めば、僕の紹介をきっかけに小説を読む人もいなかった、ということになります。

視聴者の方から、このような相談をされることがあります。

「自分を変えるには、重大な決断や挑戦が必要なのでしょうか」

必ずしもそうではないと思います。もちろん、何か行動を起こさなければ、変化は生まれません。しかしながら、その行動が大きなものである必要はないのです。僕の場合、そのきっかけは、東野圭吾さんの小説との出会いでした。東野圭吾さんが書かれる文章との出会いでした。

人が変わるきっかけは、案外些細なことが重要になるのかもしれません。

第4章　引用文献

ヘルマン・ヘッセ、岡田朝雄訳『少年の日の思い出』（草思社文庫）2刷、17ページ・18ページ、2020年、草思社
桜庭一樹『砂糖菓子の弾丸は撃ちぬけない』（角川文庫）33刷、53ページ、2021年、KADOKAWA
高瀬隼子『犬のかたちをしているもの』（集英社文庫）1刷、8ページ・16ページ、2022年、集英社
年森瑛『N／A』2刷、25ページ、2022年、文藝春秋
李琴峰『生を祝う』1刷、帯文、2021年、朝日新聞出版
献鹿狸太朗『赤泥棒』1刷、13ページ、2023年、講談社
辻堂ゆめ『サクラサク、サクラチル』1刷、帯文・31ページ、2023年、双葉社
桜井美奈『私が先生を殺した』（小学館文庫）1刷、6ページ・7ページ、2023年、小学館
柚木麻子『さらさら流る』（双葉文庫）1刷、187ページ、2020年、双葉社
太田愛『犯罪者　上』（角川文庫）28刷、42ページ、2022年、KADOKAWA
柚月裕子『孤狼の血』（角川文庫）初版、20ページ・56ページ、2017年、KADOKAWA
ジョージ・オーウェル、山形浩生訳『動物農場』（ハヤカワepi文庫）12刷、32ページ、2022年、早川書房

凪良ゆうさん
×
けんご
Special
対談

今まで届かなかった層にSNSで小説を届ける

けんご　僕は小説を、ＹｏｕＴｕｂｅやＴｉｋＴｏｋなどのＳＮＳで紹介しています。凪良さんは、あまりＳＮＳは使いませんか？

凪良　Ｔｗｉｔｔｅｒ（現Ｘ）ぐらいです。先日、芦沢央さんの『汚れた手をそこで拭かない』が、けんごさんの紹介ですごくバズって、そのことをご本人もツイートしていらしたのを見ました。今まで届かなかった層に届いている。素晴らしい活動だなと思います。

けんご　ありがとうございます。僕の活動は、「本を読んだことのない人にこそ届けたい」という思いで続けています。

読書の原体験

けんご　凪良さんが昔読んでいたもので、特に印象に残っている作品や、影響を受けた作品はありますか？

凪良　私、もともと漫画家になりたかったんです。小さい頃に読んだ漫画が、すごく心に残っていて。中学生の頃に読んだ吉田秋生さんの漫画は、鮮烈な体験でした。『ＢＡＮＡＮＡ　ＦＩＳＨ』が有名ですが、それより前の『河よりも長くゆるやかに』とか『吉祥天女』とか、『櫻の園』とかが好きで。

けんご　小説では、何かありますか？

凪良　小説だと、最初に好きだと思ったのは、『赤毛のアン』です。空想好きな女の子が主人公のお話です。私もいつも空想していて、現実世界がお留守になる。だからアンに、すごく共感したことを覚えています。

けんご　なるほど。僕は、印象深い作品を何度も読み返したりするのですが、凪良さんはいかがですか？

凪良　最近忙しくて、なかなか同じ本を読み返すことはありません。でも、若い頃に読んだ本は、すごく心に残っていて、ときどき読み返します。新井素子さんとか氷室冴子さんとか、中学生のときに、すごく好きだったので。
　もう少し大人になってからは、江國香織さん、山本文緒さんが大好きで。あと、山田詠美さんも好きでしたね。一冊読み返すことはありませんが、好きなところだけ拾い読みすることはあります。

最近ハマった小説

けんご　最近読んだ作品で、特に印象深かった小説があれば、教えてください。

凪良　最近だと、鮮烈な印象が残っているのは、小川哲さんの『君が手にするはずだった黄金について』ですね。あと、斜線堂有紀さんの『本の背骨が最後に残る』、これもすごい。

けんご　『君が手にするはずだった黄金について』は、僕も読みました。夫婦で、「これはとんでもない作品だよね」と話していました。とても印象に残っています。

凪良　「作家は、むしろなんの才能もない人間のために存在する職業だ」という一節があって。

けんご　そこに、共感されたのですね。

凪良　めちゃくちゃ共感しました。私、ここ数年で、小説を褒めていただく機会がすごく増えたんです。そのたびに、ありがたい気持ちと、同時に、居心地の悪さみたいなものを感じていて。でも、小川さんのその一節を読んで、「そうだよね」って。何の才能もないんですよ、本当に。これまで何の仕事も長続きしなくて、唯一続いたのが書くことでした。だから、「何の才能もない人間のためにある職業」ということに、すごく深くうなずいてしまって。
　そして、それまで感じていた居心地の悪さは、本来褒められるべきではないことに対して、お褒めの言葉をいただく居心地の悪さだったんだと気づきました。すみません。本の感想とは全く違う、「内省」に着地してしまいました。
けんご　もしかしたら、小説家に響く物語なのかもしれませんね。
　斜線堂さんについては、いかがですか？
凪良　実は、斜線堂さんの本は、『本の背骨が最後に残る』だけ読んだんです。一冊目がとにかく面白くて当たりだったので、時間ができたら斜線堂さんの作品を、次々読んでいこうと思って、読む本リストに入れました。
けんご　ぜひ！　僕が言うのも変ですが、とても面白い作品がありますので。
凪良　本当に面白かった。発想がすごい。ど

うしたらそんなことが考えつくのか。

実績のない分野へのチャレンジ

けんご　『神さまのビオトープ』は、長年ボーイズラブ作品を書かれてきた凪良さんの、初の文芸作品となりました。新しいことに挑戦することに対して、不安なお気持ちはありませんでしたか？

凪良　不安はたくさんありました。でも、文芸で本を出すことなんて、これが最初で最後だろうと思っていたんです。だから、そのときに手応えのあったテーマとか、自分の得意なものとか、全部の球を投げきってやろうと。そういう感じで、短編が四つ入っています。それまでのキャリアをギュッと凝縮したような一冊にしよう。そう思いました。

けんご　僕は本当にあの作品が大好きで。この対談をさせていただくにあたって読み返し

ましたが、何度読んでも、ラストシーンは目頭が熱くなります。

凪良　ありがとうございます。実は、ボーイズラブって、かなり強固にハッピーエンドを求められるんです。だから、せっかく違うジャンルで書かせてもらえるなら、違うものを書きたいと思って。鹿野くんは生き返らないし、別れもしない。そういう曖昧な着地を、一般文芸ならできるかもと思って、書きました。

イヤな部分も漏らさず記す

けんご　凪良さんの作品は、本当に一文字も読み飛ばせない。そういう魔法がかかっているんじゃないかと思うほど、大切に丁寧に読ませてもらっています。

どうしてこれほど洗練された文章を紡ぎ出せるのでしょうか？

凪良　自分の文章が洗練されているとは全然思っていません。どちらかというと、泥臭いほうだと思っています。それでも、登場人物の心情にビターッと張り付いて書くので。しつこい刑事みたいに、張り込みしながら書くので。

人間の気持ちって、綺麗事ばかりではないでしょう。すごく嫌なことを考えたり、汚いことを考えたりするし。そういうところも書かないと、厚みが出ない。そこからは、逃げないようにしています。

登場人物一人ひとりに対して、フェアでいること。意識しないとどうしても女性に肩入れした流れになってしまうので。だから、女性寄りにならないよう、すごく気をつけています。

モブキャラをモブ扱いしてはいけない

けんご　凪良さんの作品は、みんなが主人公というか、登場人物それぞれが輝いています。その点については、何か意識されていますか？

凪良　それはありますね。モブキャラであっても、絶対に手を抜かないようにしています。作家がモブ扱いをすると、途端にそこだけ手薄になってしまう。そこからボールはこぼれてしまいます。どこから球が飛んできても、みんながキャッチできるような、いつでも構えている感じ。そこは意識して書いています。

けんご　一人ひとりのキャラクターが、実に考えられていると、いつも思います。

凪良　個性のない人なんていないので。丁寧に向き合っていたら、どんなキャラクターであっても、どこかで必ずその人らしさが出てきます。『汝、星のごとく』の北原先生なんて、まさしくそうで。あそこまで出てくるはずではなかったのに、書いていくうちに、どんどんキャラクターが膨らんできて、最終的にあんなことになってしまったという……。

けんご　書いていくにつれて、当初想定されていたプロット通りにはいかずに、物語が膨らんでいくことは、多いですか？

凪良　話の筋は、ほとんどプロットから動きません。そこについては、最初にビタッと結末まで考えるタイプです。ただ、それぞれのキャラクターが考えていることが変わることはあります。

けんご　『汝、星のごとく』を、もう一度読みたくなりました。

ずっとずっと書き続けていたい

けんご　今後の夢や目標は、何かありますか？

凪良　よく夢や目標を聞かれますが、いつも気の利いたことが言えなくて。私、本当に書くことしか能がないんです。書くことが大好きで、それを仕事にできている。今、私は夢が叶っている状態です。だからずっと、おばあちゃんになっても、作家活動をしていきたい。それが一番の夢です。それにはもう、継続して一作ずつ書いていくことしかないので。今、それがすごく楽しくて、夢が叶っている。今、私、めちゃくちゃ幸せなんです。

けんご　おこがましくも、シンパシーを感じてしまいました。僕もよく夢や目標を聞かれますが、流行り廃りの激しいSNSで生き残ることが、一番の目標です。

凪良　わかります。人気なんて移ろいやすいものなので、何の保証もない。私もけんごさんも。だから、そういう答えにしかなりませんよね。

けんご　すごく共感しました。凪良さんにとって、書き続けるモチベーションというのは、楽しいとか、そういうことですか？

凪良　「楽しい」ではないかも。楽しいけれど、書くことには苦しさも伴うので。純粋に楽しいだけかと言われたら、違います。

けんご　なるほど。楽しいだけではないのですね。

凪良　書くことは、自分の中を整理することに似ています。自分はとっ散らかっている人間ですが、一作書くごとに、その散らかりを、少しずつ綺麗にしていく。そんな感じです。荷物をしまう場所を見つけていく作業。そういうと、自分のことしか考えていなくて恥ずかしいですが、自分のモヤモヤを解消するために書いている部分はあるので。

けんご　もし、書くことを奪われてしまったら、きっと大変なことになりますね。

凪良　大変ですよね。ずっとこの苦しいモヤモヤを、解消できないまま生きていかなくてはいけないのかと思うと、暗澹(あんたん)たる気持ちになりますね。

けんご　凪良さんはきっと、物語を紡ぐために生きていらっしゃるのでしょうね。

凪良　なんだか恥ずかしいけれど、ありがとうございます。そうですね、ずっと書いていけたらいいなと思います。

いつからだって、幸せになれる

けんご　僕のSNSは、十代、二十代のフォロワーさんが多いのですが、若者に向けて、何かメッセージをお願いします。

凪良　若者と言っても、それぞれ抱えている事情や悩みは全然違うし、背景も違う。私が言えることは、いつからでも幸せになれるということ。私が小説家になったのは三十五歳で、全然若くなかった。そこからでも、すごく幸せになれた。

けんご　そのメッセージは、僕にすごく刺さりました。僕はまだ二十代半ばですが、二十代のうちに何か大きなことを成し遂げたいという気持ちがあったので。

凪良　若いうちから大きなものを見つけようとしなくてもいいと思います。とりあえず生きてさえいたら、いつか、自分なりの何かが見つかると思うので。焦らなくて大丈夫です。いつからでも幸せになれますから。

COLUMN 4

本を魅力的に紹介する「伝える力」

ありがたいことに「紹介がわかりやすい」「小説を読みたくなる」といったコメントをいただく機会が増えました。特に中高生の方からは、「どうすればけんごさんのような紹介ができるようになりますか?」という質問をよくいただきます。

本の紹介が上手くなるには、話し方そのものが上手くなる必要があると考えます。

話し方の上達には、経験が必要不可欠です。僕はかれこれ、3年以上も動画投稿を続けているので、投稿を始めたばかりの頃に比べれば、話し方が明らかに上達しました。これは、講演会やイベントなど、人前で話す機会が増えていることも大きく影響しています。

話し方が上手くなりたければ、技術うんぬんではなく、人とたくさん話すこと、つまり経験を積むことが大切です。僕もまだまだなので、これからより追求していきます。

本題はここからです。僕は話し方よりもずっと、その話題について知らない人の目線に立つことのほうが重要だと考えています。その話題を知らない人の目線に立つことについて、具体的に説明させてください。

僕は野球をしていたので、プロ野球観戦が趣味の一つです。突然ですが、一つ問題を出します。

「問題:2021年日本プロ野球界において、日本一になった球団はどこでしょう?」

プロ野球は地上波で中継されており、観客動員数も桁違いの、日本を代表するエンターテインメントの一つです。しかしプロ野球を全く観ない人なら、そもそもどんな球団があるのかさえ知らないかもしれません。興味がない人からすれば、これは当然のことです。

小説についても同じことが言えます。例えば、小説が好きな人は、芥川賞や直木賞が栄誉ある文学賞であることは知っていますが、小説に興味のない人には、どれだけすごい賞なのかはわかりません。文学賞の名前をニュースなどで耳にしたことがある程度かもしれません。中には、全く知らない人だっているかもしれません。

僕は動画で小説を紹介するときに、文学賞や発行部数、出版社名や著者についての情報を極力入れないようにしています。知らない人からしたら、これらの情報は限りなく興味の薄い話題であり、それだけで話を聞いてもらえる可能性が激減してしまうからです。だから、物語の面白さ、どんな展開が待っているのか、という情報だけに絞って話すようにしています。紹介する作品がどれだけ有名なものであっても変わりません。芸能人やアイドルが書いた小説であっても同じです。

小説が好きだからこそ、多くを語りたくなってしまうのですが、そこはグッと堪えています。僕の目的は「これまで読書と縁がなかった人に、小説の魅力を伝えること」です。だからこそ、極限まで情報を絞って伝えるように心がけています。「紹介がわかりやすい」と言っていただけるのは、「知らない人」の目線に立って話しているからなのかもしれません。

(問題の答え:東京ヤクルトスワローズ)

第5章

魂が揺さぶられる物語

—やる気がみなぎる読書体験をしたい方へ—

76

けんごが選ぶ2023年ベスト小説

『アリアドネの声（こえ）』——井上真偽（いのうえまぎ）（幻冬舎）

この小説の本文は300ページに満たないもので、一ページあたりの文量もさほど多くありません。いつもなら二時間ほどで読める長さでありながら、僕は、この話を読むのに三日もかけてしまいました。結末を知りたいけれど、物語が終わってしまうことが寂しくて、読み終えるのがもったいなくて、じっくりゆっくり大切に読んでいたからです。

ストーリー自体が面白いだけでなく、どんな状況下でも希望をもつ強い心や、諦めないことの大切さを教えてもらいました。とにかく、読む者に勇気を与えてくれる小説です。

物語は、絶望的な状況下で進んでいきます。

巨大地震により、一人の女性が地下の危険地帯に取り残されました。崩落により、救助隊が地下へ進入することは不可能。少しずつ浸水も始まり、このままでは、およそ六時間後に救出ができなくなってしまいます。彼女の命が助からないのです。

しかも、女性は大きなハンディキャップを負っています。「見えない、聞こえない、話せない」という、まるでヘレン・ケラーのような三つの障がいを抱えているのです。人間が救出に入ることができない以上、何らかの方法で彼女を安全なところまで誘導する必要があります。頼みの綱は、一台のドローンのみでした。

このミッションを任されたのが、主人公の青年・ハルオです。彼は災害救助用のドローンを扱うベンチャー企業で働いています。ハルオの操縦一つで、ハンディキャップを負った彼女の命が、左右されてしまうのです。助かる見込みのほうが明らかに低い、まさに無理難題な任務でした。

もし、あなたがこの状況で彼女を救い出さなければならないとしたら、どう思うでしょうか。「無理だ」と逃げ出したくなってしまうかもしれません。きっと僕も、「無理だ」と思ってしまいます。しかしそれでも、人の命がかかっている以上、知恵を振り絞り、たった一台のドローンで救出に挑む他ないのです。

先ほどから「無理」「無理」と繰り返していますが、この物語では、「無理」が大きな意味合いを持っています。そこには、ハルオの過去が大きく関係していました。彼には、救えたはずだった兄を、失ってしまった過去があるのです。

冒頭から中盤にかけての緊迫感、そして言葉を失うほどのラスト。読み終えてしばらくは、胸がいっぱいで何も手につかなくなりました。

絶体絶命、前代未聞の救出劇の結末を、ぜひご自身で確かめてみてください。

けんごが選ぶ、２０２３年のベスト小説です。

77

もう少しだけ頑張ろうと思えた、人生の分岐点となった一冊

『風が強く吹いている』――三浦しをん（新潮文庫）

2024年で、二十六歳になる僕は、これまでの人生の半分以上が野球によって支配されてきました。小学三年生のときクラブチームに入り、大学四年生の秋まで白球を追い続けたのです。

そんな僕ですが、大学三年生のときに一度だけ、本気で野球をやめようとしたことがあります。前年までそれなりに良い成績を残せており、「今年こそはレギュラーになる」と意気込んでいた矢先に怪我を負ってしまったのです。

怪我をしたのは身体だけではありません。心も、です。僕の心は完全に折れてしまいました。そこから僕は、練習もプライベートも、すべてに対して気力が湧かなくなりました。部活には顔を出すものの、真面目に取り組むことなく、思考停止で練習メニューをただこなすだけでした。

そんな日々を過ごしていたとき、僕のだらしないマインドを一変させる一冊の小説と出会います。それが、今回ご紹介する『風が強く吹いている』です。

日本の正月の風物詩となっている箱根駅伝。往路と復路合わせて計217・1㎞の長い道のりを走り抜ける大学駅伝です。各チーム十人の代表ランナーたちが、それぞれの想いを乗せて、一本の襷を繋ぎます。

箱根駅伝は関東学生陸上競技連盟加盟大学のうち、前年大会でシード権を獲得した上位十校と、十月の予選会を通過した十校、そして関東学生連合を加えた合計二十一チームしか出場できません。加盟校は、女子大を除けば約一五〇校ですから、箱根駅伝に出場するのは狭き門なのです。

数ある運動競技の中でも、特に長距離走は、まぐれがない競技です。運頼みでは、まず出場は叶いません。

そんな箱根駅伝に、陸上競技未経験の部員までいる無名の大学が、わずか一年という短い期間で出場することは可能だと思いますか？

『風が強く吹いている』は、問題児である天才ランナー・蔵原走（カケル）と、長距離走へ熱く情熱を燃やす清瀬灰二（ハイジ）の二人を主力とした、陸上競技未経験者を含む寛政大学陸上競技部の、箱根駅伝出場という無謀な挑戦をかけた物語です。

個性的なキャラクターとドラマティックな展開に読む手が止まらず、翌日に野球部の練習があることも忘れて、夜通しで一気読みしたことを覚えています。

読了と同時に自分の情けなさを自覚しました。こんなところで立ち止まってはいけない、もう少しだけ頑張ろうと思えたのです。

この小説を読んでいなければ、僕は野球をやめていたかもしれません。あのとき踏みとどまり、再び全力で取り組んだことは、今の自分を築く土台となっています。

カケルとハイジが率いる寛政大学の箱根駅伝出場は叶うのか、そして、その後に続く物語は……。

スポーツ経験の有無にかかわらず、何かにチャレンジするすべての人の原動力になる、熱い小説です。

78

魂が揺れる零細企業の奮闘劇

『陸王(りくおう)』――池井戸潤(いけいどじゅん)(集英社文庫)

2022年の夏、僕がこれまでの人生で最も体調を崩した時期でした。体調面が優れないだけでなく、心が弱っていたのです。何もやる気が出ずに、SNS投稿もストップして、小説を読むことすらできませんでした。

そんなとき、なんとなく動画配信サービスで再生したのが、ドラマ『陸王』です。これは、池井戸潤さんの小説が原作となっています。このときは初見ではなく、二度目の視聴でした。大学生のときにテレビ放映されていたドラマで、当時、リアルタイムで観ていたからです。

観たことがあるドラマなので、当然、展開は理解しています。にもかかわらず、毎話、涙が止まりませんでした。一つの目標に対して懸命に努力し、諦めない姿に、心を打たれたのです。こうなると、もう原作小説を読まずにはいられません。そして、この読書体験が僕を立ち直らせるきっかけとなったのです。

物語は、創業百年を超える老舗の足袋製造会社「こはぜ屋」の社長・宮沢紘一（みやざわこういち）を中心に進んでいきます。宮沢は、経営に頭を抱えていました。足袋の需要は年々減少しており、業績が大きく低迷していたからです。このままでは、倒産も視野に入れなければなりません。

宮沢は、業績回復の糸口を掴むため、新規事業に挑戦することを決意します。その新規事業こそが、ランニングシューズの開発でした。とある出来事をきっかけに、足袋の持ち味でもある、五本指で地面を掴む感覚がランニングシューズと親和性が高いのではないかと考えたのです。

試行錯誤の末、こはぜ屋からランニング専用の足袋「陸王」が誕生します。

完成したからといって、陸王をすぐに商品として発売できるわけではありません。認知度も足りなければ、本当にランニングシューズとして使えるかもわからないからです。こはぜ屋に必要なのは、テスターとして使ってくれる陸上選手でした。

宮沢は一人のランナーに注目します。ダイワ食品という企業の陸上競技部員、茂木（もぎ）裕人（ひろと）です。茂木は、箱根駅伝にも出走した優秀な選手でありながら、怪我に悩まされ、満足のいく走りができていませんでした。そこで宮沢は、陸王を矯正用シューズとして使ってもらえないか、茂木に頼んでみたのです。

しかし、茂木はすでにアトランティスという大企業と専属契約をしていました。シューズ業界の頂点に君臨しているアトランティスに、こはぜ屋が太刀打ちできるはずもありません。

ただ、それは陸王を開発し始めた時点の話です。ここから、宮沢を中心とした、こはぜ屋の社員たちの奮闘、家族愛、そして茂木のランナーとしての成長と、諦めの悪い人々による一念発起の挑戦が始まります。

魂を揺さぶられるような展開の連続です。物語の中でも、そう簡単に物事は進みません。しかし、諦めずに努力し続けることで、小さな糸口が見つかるのです。『陸王』は、僕の折れかかっていた心に再び火をつけてくれた、熱い物語です。まるで、人生そのものを体現しているかのような小説でした。

79

最前線で活躍するアイドルが描くノワール・ミステリー

『チュベローズで待(ま)ってる』——加藤(かとう)シゲアキ(新潮文庫)

アイドルグループ「NEWS」のメンバーである加藤シゲアキさんは、小説家としても活躍しています。『ピンクとグレー』でのデビュー以降、アイドル活動と両立しながら多くの小説を刊行し、2024年に作家生活十二周年を迎えました。

小説家としての加藤さんは、直木賞に、『オルタネート』『なれのはて』で二度もノミネートされており、その実力は確かなものだと評価されています。アイドルとしての知名度も高いのでしょうが、僕はアイドルとしての加藤さんのことはほとんど知りません。しかし、「作家・加藤シゲアキ」の大ファンです。その証拠に、刊行された小説はすべて読んでいます。

今回は、加藤さんの作品の中で、最も印象深い小説をご紹介します。

『チュベローズで待ってる』は、刺激的なノワール(犯罪)小説であり、高度なプロットによって生み出されたミステリー小説でもあります。
就職活動に失敗し、路頭に迷いかけていた二十二歳の主人公・光太は、夜の新宿で焦燥感に駆られていました。憧れていた第一志望のゲーム会社から内定をもらえなかっただけでなく、三十社以上も面接を受けたのに、ことごとく不採用になっていたからです。

何もかも上手くいかない自分に失望し、酔い潰れかけていた光太に、一人の男が話しかけてきました。雫という関西弁の彼は、道を歩くだけで仲間から次々と話しかけられるほどの人望を持つ男です。そんな彼が、なぜか光太に目をつけ、自身が身を置くホストの世界に誘ったのです。雫が勤めるホストクラブは、「チュベローズ」という店でした。

光太には金が必要でした。父はすでに他界しており、まだ八歳の幼い妹がいます。そして何より、母親の体調が良くなかったのです。家庭の稼ぎ頭として、家族のために働く必要がありました。しかし、就職活動は目も当てられないほどに失敗続きです。もはや光太は、仕事を選べる立場ではありません。雫は、支度金として十万を用意すると言います。加えて雫には、何とも言えない魅力がありました。お金にも雫にも惹かれた光太は、就職浪人する一年間だけ、「チュベローズ」でホストになることを決意するのです。

ホストの世界は、想像以上に過酷でした。「光也（みつや）」という源氏名で働きはじめた光太は、容姿にもコミュニケーションにも自信がなく、最初はたじたじです。実力勝負の世界なので、雫も簡単には手を差し伸べてはくれません。

と、ここまでの話だと、就活で失敗した大学生が、ホストの世界で成り上がる下剋上ドラマかと思ってしまいますが、全くもってそうではありません。度重なる夜の世界でのトラブル、憧れていたゲーム会社の女性社員との出会い、雫の身に起こる事件など、さまざまな要素が絡み合う、緻密なミステリー小説です。

本作は「ａｇｅ22」「ａｇｅ32」の上下巻に分かれています。「ａｇｅ22」だけでも十分楽しめる内容なのですが、それは実のところ、十年後の物語である「ａｇｅ32」の序章に過ぎないのです。心理の深掘り方と絶妙な描写によって、僕は見事に加藤さんの手のひらで転がされてしまいました。

目頭が熱くなる、長編ノワールミステリーをぜひお楽しみください。

80

夢を追い続けることの尊さを再確認させてくれた一冊

『月の立つ林で』——**青山美智子**（ポプラ社）

『月の立つ林で』は、五章の物語で成り立っています。それぞれの章は独立しているように見えて、実は小さな繋がりが存在するのです。そして最後には——というような、連作短編集の形式が用いられています。

今回メインでご紹介するのは、第二章の「レゴリス」です。連作短編集の二章目からご紹介するのもどうかとは思うのですが、どうしても紹介せずにはいられない内容でした。ネタバレにならないよう細心の注意を払いますので、お許しください。

大人になったなと実感することの一つに、夢を追い続ける難しさがあります。自由な時間は限られ、生きていくためにお金を稼がなければならず、そのためにはある程度の妥協が必要で……。こうして人は夢を諦めます。そして、違う道へと進んでいくのです。

今でこそ、好きな小説に携わりながら生活ができている僕ではありますが、実は、昔からの夢を叶えられたというわけではありません。学生時代には別の夢がありましたが、全く手が届かずに諦めました。つまり、挫折したのです。過去に諦めた経験があるからこそ、僕は夢を追い続ける人を尊敬しています。諦めないというのは、一種の才能だと思うのです。

「レゴリス」を読んですぐ、夢を追い続けている人にこの小説を届けたいという想いが湧き上がりました。

主人公は、売れないながらも夢を諦めきれないピン芸人の本田重太郎（ほんだしげたろう）。「ポン重太郎」の芸名で活動しています。三十歳という彼の年齢は、世間的には現実を見なければならない頃合いなのかもしれません。

重太郎の人生は波瀾に満ちています。大学のとき、地元・青森の信用金庫からの内定を辞退して、芸人という夢に挑戦していたのです。重太郎にとって、芸人になることは子どもの頃からの夢でした。その夢を諦めて始めたはずの就職活動です。しかし、ある出来事をきっかけに、彼はもう一度、わずかな可能性に賭けてみることにしたのです。

物語には、上京から八年が過ぎた、重太郎の現在が描かれています。残念ながら、芸人として上手くいっているとは言い難い状況です。上手くいくどころか、度重なる災難にも襲われます。

「努力は報われる！　諦めなければ夢は叶う！」

このような王道のサクセスストーリーではありません。どちらかといえば、厳しい物語です。だからこそ、夢を追う素晴らしさや輝かしさが、確かに伝わってきます。もちろん、夢が叶えば、それが一番だと思います。でも、心折れずに夢を追い続けられる人がいるなら、それは、夢を叶えるのと同じくらい、素敵でかっこいいことなのです。

二章の「レゴリス」だけでなく、物語全体を通して、前向きな気持ちになるきっかけを与えてくれた小説です。最終章には、胸が締め付けられるような仕掛けがありました。

人生に正解はありません。だけど、限りなく「正解」だと思える方向に導いてくれる物語だと思います。

81

森見ワールド全開！大人気作家の原点である圧倒的なデビュー作

『太陽の塔』――森見登美彦（新潮文庫）

生まれて初めて、読書で声を出して大笑いした一冊です。ぜひ、気分が落ち込んでいるときに読んでみてください。少なくとも、読む前よりはずっと、晴れやかな気持ちになると思います。

森見登美彦さんといえば、『夜は短し歩けよ乙女』『四畳半神話大系』が強く印象に残っている方も多いのではないでしょうか。独特の文体から生み出される不思議な世界観の物語には、強い中毒性があります。一度読みはじめると止まりません。その後も次々と著者の作品を追いかけてしまう、強い引力を持つ物語を描かれる小説家です。

文章に魔法がかかっているかのようで、森見さんにかかれば（少々失礼かもしれませんが）なんでもない一文が、一転してユーモア溢れたものに変身してしまいます。

さらに、冴えない男を書かせれば、右に出るものはいません。今回ご紹介する『太陽の塔』も、生粋の冴えない振られ男が主人公となっています。

『太陽の塔』は、森見さんのデビュー作です。よく小説家は、刊行を重ねるにつれて文体が形成され、自身の型ができていくと言われます。しかし、森見さんの場合、デビュー作からすでに文体が形成されているのです。会話文も地の文も、もれなく面白いので、まだ森見さんの小説を読んだことのない方は、ぜひ『太陽の塔』から読んでみてください。

何かしらの点で、彼らは根本的に間違っている。
なぜなら、私が間違っているはずがないからだ。

この書き出しで始まる物語の主人公は、過去に失恋経験のある大学生の「私」。京都大学農学部を休学中の五回生です。彼は、大学に入って三回生になるまでの間、生活に「華がなかった」と語ります。しかし、三回生の夏ごろに転機が訪れました。水尾（みずお）さんという恋人ができたのです。「彼女は知的で、可愛く、奇想天外で、支離滅裂で、猫そっくりで、やや眠りをむさぼり過ぎる、じつに魅力ある人間」だと「私」は語ります。

しかし、「私」は水尾さんに振られました。そして、疑問に思うのです。「彼女はなぜ私のような人間を拒否したのか」と。

その疑問を解消すべく「私」が取った行動は、「水尾さん研究」という名のストーカー行為でした。本人は断固としてストーカーではないと言い張りますが、どう考えてもストーカーです。

「私」の疑問は解消されるのか、未練がましい一方通行の恋は一体どんな結末を迎えるのか――という、あらすじだけだと、犯罪臭が漂う恐ろしい物語です。ただ、そこはさすがの森見さん。こんな不気味な設定の話を、笑いあり涙ありの、ユーモアたっぷりな物語に仕上げています。恐るべき筆力です。

冒頭を読んだ時点で、水尾さんに振られたことを疑問に思う「私」に対して、「君がそんなことをしているから振られるんだよ！」と言いつけてやりたくなりました。

最後の最後まで「私」による、純度１００％（？）の真っ直ぐな（？）水尾さんへの想いが綴られた物語です。初めて読んだのは、僕が大学生のときでした。読んだタイミング、ばっちりだったな、と我ながら思います。

82

次世代に受け継がれる「熱き血統」の物語

『ザ・ロイヤルファミリー』――早見和真（新潮文庫）

普段、自分が読むことがなさそうな小説を選んでみよう――そんなことを思い立ち、なんとなく選んだ小説が『ザ・ロイヤルファミリー』でした。競走馬を巡る馬主一家の物語です。競馬の世界が詳細に描かれています。

スポーツ小説などもそうですが、自分とはあまり縁のない分野や、興味のないテーマについて書かれた小説は、どことなく手に取りづらいですよね。ましてや競馬はギャンブルなので、よくないイメージを持ってしまう人もいるかもしれません。

そこで声を大にして伝えたいことが、本作は競馬に興味がなくとも楽しめる「家族の物語」であることです。ヒューマンドラマが好きな人なら、きっとページをめくる手が止まらなくなると思います。

まずは、「馬主」について簡単に説明させてください。馬主とは、競走馬のオーナーのことです。○〜二歳のまだ若いサラブレッドを購入し、その後の育成にかかる費用も負担します。購入した馬が無事にデビューを果たし、レースに勝てば、その賞金を手にすることができるのです。とはいえ、そんなに甘い世界ではなく、重賞レース（賞金も高く、ある一定の成績を収めた馬のみが登録できるレース）で勝てる馬は1％もいません。一勝すらできずに引退していく馬が、大半を占めるのです。それどころか、体が弱い、体力不足、怪我、競走馬としての実力が足りないなどの理由で、デビューすら叶わないケースも少なくありません。多くの馬主は複数頭を所有するため、月にかかる維持費も莫大です。

『ザ・ロイヤルファミリー』は、人材派遣会社「株式会社ロイヤルヒューマン」の社長兼馬主である山王耕造（さんのうこうぞう）の元で、秘書として働くことになった主人公を中心に進みます。彼の名は、栗栖栄治（くりすえいじ）。税理士をしていましたが、父を亡くして以来、深い喪失感から抜け殻のようになっていました。

栗栖は、競馬のことについて、右も左もわかりません。山王社長がなぜここまで熱中するのか、不思議に感じていた栗栖ですが、徐々にその魅力を理解しはじめます。共に過ごす時間が長くなるにつれて、山王社長と栗栖は、どこか家族のようにも思える関係を築きます。その中心には、間違いなく競馬がありました。

競馬は、「ブラッド・スポーツ（血のスポーツ）」と言われます。競走馬の強さには、血統が大きく関わるためです。例えば、日本近代競馬において優秀な成績を収めた「ディープインパクト」という名馬の血を引く馬の多くは、強い走りを見せており、数多の重賞レースを勝ち抜いています。これは間違いなく、ディープインパクトの血統が良いことにほかなりません。

一頭の馬に夢を見るのは、馬主だけではありません。その馬を管理する厩舎(きゅうしゃ)や、馬に乗るジョッキー、馬の面倒を見る牧場関係者、馬券を買うファンたちなど、無数の人々が関わっています。血の繋がり、人と人との繋がり、そして家族の繋がり。多くの〝繋がり〟が対比されながら進む物語でした。なんといっても、レースシーンの描写は胸が高鳴ります。臨場感を生み出す筆力と〝とある工夫〟が圧巻です。

二部構成の物語になっており、「ブラッド・スポーツ」であることの意味をもたせたプロットにも、ただただ感心するばかりです。

繰り返しになりますが、競馬に興味のない方でも胸が熱くなる、家族の物語です。作家の今野敏(こんのびん)さんによる巻末解説も見逃せません。６００ページに及ぶ物語を、最後の最後までお楽しみください。

83

これほどまでに面白いエッセイを他に知りません

『職業としての小説家』——村上春樹（新潮文庫）

日本を代表するベストセラー作家・村上春樹さん。デビュー作『風の歌を聴け』をはじめ、『ノルウェイの森』『世界の終りとハードボイルド・ワンダーランド』『ねじまき鳥クロニクル』『女のいない男たち』など、多くのベストセラー小説を発表し続けてきました。そのご活躍は日本国内にとどまらず、海外の名誉ある文学賞をいくつも受賞されています。また、作家としてだけでなく、翻訳者としても高い評価を受けており、『グレート・ギャツビー』（スコット・フィッツジェラルド）を筆頭に、九十冊以上の翻訳を手掛けているのです。

本書では、数多くの小説をご紹介してきました。しかし、今回取り上げる村上春樹さんの本は、小説ではありません。自伝的エッセイの『職業としての小説家』がとにかく面白いのです。この一冊の本を通して、村上春樹さんの生活と頭の中を、少しだけ覗き見ることができます。作家デビューを果たすまで、そして、執筆当時（2015年刊行）の様子など、具体的なエピソードを交えて語られています。

『職業としての小説家』というタイトルにもあるように、小説家になるためにはどのような考え方が必要で、どのようなプロセスを歩み、また、小説家であり続けるために僕はこうしている——といった考え方の部分が綴られています。次の一文が印象的でした。

それで僕は思うのですが、小説家になろうという人にとって重要なのは、とりあえず本をたくさん読むことでしょう。実にありきたりな答えで申し訳ないのですが、これはやはり小説を書くための何より大事な、欠かせない訓練になると思います。

作家としての生活スタイルについても、詳細に開示されています。村上春樹さんはルーティンとして仕事に取り組まれていることが窺えました。

長編小説を書く場合、一日に四百字詰原稿用紙にして、十枚見当で原稿を書いていくことをルールとしています。（中略）書けるときは勢いでたくさん書いちゃう、書けないときは休むというのでは、規則性は生まれません。だからタイム・カードを押すみたいに、一日ほぼきっかり十枚書きます。

このあたりは、小説家を志す者でなくとも関心の高い部分でしょう。僕自身、フリーランス的な働き方をしている身として、一流作家のワークスタイルが綴られているトピックには、思わずメモを取りながら読んでいました。
最後に、最も印象的だった一文を紹介させてください。

小説を書くには何はともあれ多くの本を読まなくてはならない、というのと同じ意味合いにおいて、人を描くためには多くの人を知らなくてはならない、ということがやはり言えると思います。

村上春樹さんといえば、まるで音楽を聴いているような、リズミカルな文体が特徴的です。それだけでなく、描かれるキャラクターが魅力的で、いつの間にか引き込まれてしまいます。先ほど引用した文章には、登場人物を描く上での村上春樹さんの考え方が述べられています。書き手ではなく読み手である僕にとっても、非常に勉強になる内容でした。

一流の考え方は、共通しているのかもしれません。村上春樹さんも、一つの事柄に集中し、成し遂げるべきミッションに対して、地道に、コツコツと、愚直に、そして真摯に取り組んでいる印象を受けます。

「やる気」や「習慣」をテーマにした多くのビジネス書が出版されています。もちろん、それらの本も非常に勉強になりますが、僕は、村上春樹さんの『職業としての小説家』を一冊読めば、それで十分なのではないかと思うのです。

村上春樹さんの小説を読んだことがない方にも、自信を持っておすすめできる一冊です。そして、このエッセイを読むと、村上春樹さんの描く物語を、無性に読んでみたくなると思います。

84-85

心の奥底まで響き渡る、魂の文章

『わたしに会いたい』――西加奈子（集英社）

『くもをさがす』――西加奈子（河出書房新社）

西加奈子が贈る、８つのラブレター
この本を読んだあと、あなたは、きっと、自分の体を愛おしいと思う。

これは『わたしに会いたい』初版の帯に書いてあった文章です。全八編の短編小説集で、どれも、「体」と「生きづらさ」にスポットライトを当てた物語になっています。どちらかといえば女性に響く話が多いと思いますが、男性にも強くおすすめします。

物語をご紹介する前に、著者である西加奈子さんについてお話しさせてください。

西さんは『わたしに会いたい』の前に、初のノンフィクション『くもをさがす』を刊行し、大きな反響を呼びました。「書店員が選ぶノンフィクション大賞 オールタイムベスト2023」を受賞しています。

『くもをさがす』は、2021年コロナ禍真っ只中に、浸潤性乳管がんを宣告された、西加奈子さんご自身の体験を綴ったノンフィクションです。乳がん発覚から約八ヶ月に及ぶ治療と、病への恐怖、絶望、そして、家族や友人たちへの溢れる思い、時折訪れる幸福と歓喜の瞬間を、著者ならではの筆力で克明に描いています。

当時、西さんはカナダに滞在されていました。コロナウイルスの脅威に誰もが怯えていた状況で、さらには異国の地で、西さんは闘病生活を送らなければならなかったのです。

不自由な身体、海外での不慣れな生活、絶望一歩手前のギリギリな毎日。ご自身が弱さと感じられているところ、そして読者に勇気を与える強さが、赤裸々に描かれています。どれだけ辛かったことでしょうか、どれだけ怖かったことでしょうか。「死」を身近に感じながらも、あくまで飄々と明るく綴る西さんの文章には、思わず目頭が熱くなりました。

時に、物語は人を救うほどの力をもちます。僕も今までに、幾度となく物語に励まされ、助けられてきました。これだけの大変なご経験をされた西さんが描く物語には、今後さらに「生」が宿るのではないか——そう思っていた矢先、『わたしに会いたい』

が刊行されたのです。この作品は、僕が読んだ2023年刊行小説の中でも、特に印象に残った小説です。

西加奈子さんはこれまで、直木賞受賞作『サラバ！』や、映画化された『さくら』『きいろいゾウ』『漁港の肉子ちゃん』、本屋大賞にノミネートされた『i』『夜が明ける』など、数々のベストセラー小説を生み出しています。もちろん、僕もこれらの作品を読んでおり、深みのある西さんの物語に、幾度となく感銘を受けました。

それでも、西加奈子さんの作品の中から一作だけ選べと言われたら、僕は、『わたしに会いたい』を推します。

『わたしに会いたい』は『くもをさがす』とリンクするような短編小説集です。先ほども書きましたが、それぞれの物語が、「体」と「生きづらさ」にスポットライトを当てています。大変な闘病生活があったからこそ、この八編の物語が生まれたのではないかと思うのです。

今回は、特に印象的だった収録作「あなたの中から」をご紹介させてください。

この物語は、女性である「あなた」の人生を、〝なにか〟の視点で描いた物語です。「あなた」は小学五年生のとき、クラスメイトの男子に「ブス」と言われました。そのことに「あなた」は心から驚きます。自分がブスだとは思っていなかったからです。中学に入ると、「あなた」は、「最下層のブス」と言われるようになります。

他人からそこまで言われてしまうと、さすがに気にせずにはいられません。次第に容姿のことで深く悩むようになります。そこで「あなた」は、化粧だけでは飽き足らず、整形手術を受ける決意をするのです。さらには、女であることに強いこだわりをもつようになり、自分の身体を売るようになってしまいます。

そこからの「あなた」の人生は、壮絶なものでした。

ところで、幼少期からの彼女の人生をこと細かに語っている〝なにか〟とは、一体どこの誰なのでしょうか。

物語の終盤で〝なにか〟が明かされます。すぐに僕は、『くもをさがす』の内容を思い出しました。この物語は、ミステリーではありませんが、ぜひ、実際に読んで答え合わせをしてみてください。

もちろん、他の七編も、印象的な物語ばかりです。年齢を重ねることを恐れる二十四歳の女性が、あることをきっかけにＶＩＯ脱毛を決意する話。乳がんの治療のため乳房を全摘出したことが原因で、自分が何に注目されていたかを知ってしまうグラビアアイドルの話など、どの物語も没頭して一気読みしつつ、一文一文をしっかり味わっていました。

全編、主人公は女性です。どちらかといえば女性が抱えやすい悩みにフォーカスしています。それでも、性別関係なく、この八つの物語が多くの方に届いてほしいと願っています。『くもをさがす』『わたしに会いたい』の二冊は、ぜひともあわせてお読みください。

西加奈子さんだからこそ生み出すことのできた、勇敢で優しく、温かい作品です。

86

クリスマスの時期になると読み返す「改心」の物語

『クリスマス・キャロル』――チャールズ・ディケンズ、村岡花子（むらおかはなこ）訳（新潮文庫）

イギリスが誇る国民的作家、チャールズ・ディケンズ。そんな彼の代表作を尋ねたら、誰もが『クリスマス・キャロル』だと答えることでしょう。毎年、クリスマスの時期になると多くの書店で大きく展開されるので、読んだことのある方も多いと思います。しかし、どれほど有名な作品であっても、まだ読んでいない方に向けて紹介するのが僕のスタイルなので、本書でも『クリスマス・キャロル』を紹介していきます。

僕は、この小説の大きなテーマとして「改心」があると考えています。自分自身のことを見つめ直すきっかけにもなる物語なので、幅広い年代に読んでいただきたいです。中でも特に、子どもたちには読んでほしいと思っています。かけがえのない読書体験になるはずです。もし、子どもの頃の自分に会えるとしたら、間違いなくこの本を読ませます。

主人公のスクルージは、ロンドンの下町で金貸しを営むお年寄りです。彼は極めてケチで、お金に対して過度な執着をもっています。さらには、意地悪な性格でした。そのあまりの思いやりのなさから、人々からは嫌われ者として扱われているのです。

スクルージは、クリスマスが嫌いでした。街が賑わいを見せても、クリスマスの何がめでたいのだと、頑なに楽しもうとはしません。それどころか、クリスマスを楽しむ人々を、見下したような態度を取るのです。

そんなスクルージに、不思議で恐ろしい現象が起こります。なんと、七年前に亡くなったはずの共同経営者・マーレイが、亡霊となって姿を現したのです。この日は、12月24日のクリスマスイブであり、マーレイの命日でもありました。

マーレイの姿は、実に無惨なものでした。身体は長い鎖に巻かれています。それに、まるで「死」そのもののような冷たい眼で、スクルージをじっと見つめるのです。

マーレイはスクルージに対して、強欲で冷酷な人間に、どれほど悲惨な運命が待ち受けているのかを話しはじめました。そして、スクルージのもとに三人の幽霊が現れると言い残し、姿を消したのです。

その後、マーレイの言葉通り、三人の幽霊が順番に現れます。それぞれの幽霊たちは、一体なにを目的としてスクルージの元に現れたのでしょうか。

実は、この三人の幽霊は、スクルージのこれからの生き方を改めるために必要な存在で——というお話です。

新潮文庫の裏表紙に掲載されているあらすじには、『クリスマス・キャロル』は強欲で冷淡なスクルージが心を入れ替えるまでの物語だと書かれています。

本作が書かれた当時の時代背景についても、簡単にご紹介させてください。1800年代のイギリスは、急激な産業発展を遂げたことで国自体が裕福になった反面、市民の格差は広がる一方でした。そんな時代を生きていたディケンズの作品には、立場の弱い者の視点から社会を描く小説が多く見られます。

ディケンズは、『クリスマス・キャロル』を通して、人を労る心の大切さ、自分を俯瞰して冷静に見ることの必要性を伝えたかったのではないでしょうか。

物語から確かに感じられる愛の温かさを、ぜひ受け取ってください。きっと、毎年のクリスマスシーズンを彩る一冊になることでしょう。

87

無垢な青年を描く〝永遠の青春小説〟

『ライ麦畑（むぎばたけ）でつかまえて』――J・D・サリンジャー、野崎孝（のざきたかし）訳（白水Uブックス）

十六歳のクソガキが、社会や大人に対して不満をペラペラと語り続ける小説です。

……大変失礼いたしました。言葉を選ばずに『ライ麦畑でつかまえて』を説明すると、このようになります。

僕がこの本を初めて読んだのは、大学二年生、二十歳を過ぎたばかりの頃でした。本書でご紹介する『老人（ろうじん）と海（うみ）』（アーネスト・ヘミングウェイ著）に感銘を受けたことをきっかけに、海外文学を読み漁っていた時期です。

『ライ麦畑をつかまえて』を読んだ感想は、「どことなく掴めない物語だけど、主人公に対しての憧れの気持ちが止まらない！」でした。

十六歳の少年、ホールデン・コールフィールドは、病院で療養していました。『ライ麦畑でつかまえて』は、ホールデンが病院で、彼がクリスマス前に体験したことをひたすら語っていく物語です。

ホールデンは優秀な高校に通っていましたが、成績不良で退学処分を受けてしまいます。その後、友人とケンカになり、そのまま寮を飛び出したのです。自由を手にしたホールデンは、悪どい行為を繰り返しながら、ニューヨークの街を彷徨います。

そんな若造がいれば、よからぬ奴らに目をつけられるのは当然のことです。社会とはそういうものであり、大人とはそういうものなのです。しかしホールデンは、〝そういうもの〟を受け入れられずに、膨れ上がる反抗心を持て余していました。

このように物語は、子ども以上大人未満なわがまま青年の自堕落な生活を描いていきます。言ってしまえば、それだけなのです。しかし、この小説を初めて読んだ僕は、ホールデンの軽快な口調に乗せられ、彼の魅力の虜になりました。いつか自分も、ホールデンみたいに思うままに、わがままに生きてみたいと思っていたのです。

しかし、二十五歳の今、当時を振り返ると、あの時の感情が限定的なものであったと気づきました。あれから十年も経ってないのに、僕も随分大人になれたんだなと、しみじみ感じます。初めて読んだタイミングが数年遅かったら、『ライ麦畑でつかまえて』の魅力に気づくことはなかったかもしれません。

とはいえ、大人にはおすすめできないというわけではありません。読書はそれぞれの感性によって受け取り方が変化する娯楽です。十代の方も、大人の方も、この小説を読んで自分がどう感じるのか、ぜひ確かめていただきたいと思います。僕自身も、十年後、二十年後に再びこの小説を読んだとき、何を思うのかが楽しみです。

累計発行部数が全世界で6000万部を超える、まさに文学史上に残る青春小説の金字塔です。日本でも複数の訳者による翻訳本が刊行されており、その中の一人に、村上春樹さんも名を連ねています（村上春樹さんの訳は『キャッチャー・イン・ザ・ライ』のタイトルで刊行されています）。

版元である白水社の公式ウェブサイトに、訳者の一人・野崎孝さんによる物語の解説が掲載されています。そちらも合わせて読むことで、この青春小説がより楽しい読書体験になるはずです。

88

読むたびに胸が締め付けられる海外文学

『老人と海』――アーネスト・ヘミングウェイ、高見浩 訳（新潮文庫）

僕が初めて読んだ海外文学作品です。本作が大きく評価されたことにより、著者のヘミングウェイはピュリッツァー賞を、そしてノーベル文学賞までも受賞することとなります。僕自身、手に取ったきっかけが、書店で「ノーベル文学賞受賞」と書かれているポップを目にしたことでした。

『老人と海』の主な登場人物は、漁師の老人と少年です。老人は、少年が幼い頃から漁を教えてきました。二人は年の離れた漁師仲間でありながら、師弟のような関係でもあったのです。

老人は、漁師としての全盛期をとうに過ぎていました。そして、一匹も獲れない日が数十日も続きます。少年の両親はそんな老人を見て、「あのじいさん、もうどうしようもないサラオだな」と言いました。サラオとはスペイン語で〝不運のどん底〟を意味します。

それでも、少年は老人の力を信じていました。しかし、少年の両親は、老人の不漁が続いた四十日目に、少年を他の船に乗せることを決めてしまいます。愛する息子の将来を案じたのでしょう。親としては、当然ともいえる判断です。

少年は、老人の船に乗れなくなったことを悔しく思いました。彼は、老人がかつて漁師として活躍していた姿を、隣で見ていたからです。ずっと老人の船に乗り、教えを受け、その漁を間近で見続けてきました。とはいえ、まだ子供の少年が親の言いつけに抗うことはできません。

少年がいなくなり、老人は一人で漁に出る日が続きました。それでも、老人の心が折れることはありません。周囲の言葉など耳に入っていないかのように、いつもと変わらぬ調子で海へと漕ぎ出します。

老人のこの強い心を支えていたのは、過去にアフリカで見たライオンの姿です。老人にとってのライオンは、在りし日の象徴でした。ライオンはたびたび夢に現れ、老人に活力を与えてくれるのです。

そして、ついにその日が訪れます。一匹も獲れない日が続いた八十五日目のこと、老人は大魚と対峙するのです。網にかかったのは、18フィート（5メートル超）の巨大なカジキマグロでした。長年の漁師生活の中でも見たことのない大きさです。ここから、老人と大魚の、数日間に及ぶ命をかけた闘いが始まります。そして、老人は大魚と格闘するなかで、幾度となく「あの子がいてくれりゃ」と少年のことを思い出すのです。

もちろん、これだけで物語は終わりません。次々と老人に襲い掛かる困難、不眠不休の死闘の果てに――これが『老人と海』のストーリーラインです。

本作で描かれているテーマの一つに、「老いていく自分との向き合い方」があると思います。人間は生きている限り、誰もが必ず歳を重ねます。そして、年を追うごとに気力も体力も下降していくのです。

では、年齢がすべてを決めるのでしょうか。必ずしもそうではないと、大魚との闘いを通して、老人が教えてくれました。

短い物語ではありますが、僕の心を奮い立たせ、勇気づけてくれた大切な小説です。海外文学作品を読んだことのない方にも、最初の一冊として『老人と海』をおすすめします。ぜひ、老人と少年の素敵な関係にも注目しながら読んでみてください。

第5章　引用文献

森見登美彦『太陽の塔』（新潮文庫）12刷、5ページ・11ページ、2007年、新潮社
村上春樹『職業としての小説家』（新潮文庫）初版、120ページ・154ページ・242ページ、2016年、新潮社
西加奈子『わたしに会いたい』1刷、帯文、2023年、集英社
アーネスト・ヘミングウェイ、高見浩訳『老人と海』（新潮文庫）8刷、7ページ・52ページ、2021年、新潮社

COLUMN 5

大切な「書店」という存在について

初めて目的を持って書店を訪れたのは、大学に入学して間もない頃でした。『白夜行』を手に取ったときのことです。あのときのことは、今でも鮮明に覚えています。店舗は神奈川県横浜市にある「有隣堂たまプラーザテラス店」で、素敵な内装とおしゃれな階段が特徴的な大型書店です。

当時、ずらりと本が並んだ光景に驚いたものです。文庫・新書コーナーに向かったときには「世の中にはこんなにも小説が売ってあるのか」と子どものような感想を抱きました。

それ以来、僕にとって書店は居心地の良い場所になりました。いつ訪れても飽きません。また、久しぶりに行くと新刊コーナーに並んでいる本はがらりと変わっていて、同じ店舗だとしても新鮮な気持ちになります。立ち読みしているわけでもないのに、店頭で並んでいる本をじっくり見ていると、いつの間にか数時間経っていた、なんてことも珍しくありません。きっと本には、読むことで得られる栄養と、書店に訪れることで得られる栄養、そして、本を買うことで得られる栄養があるのです。

僕がこれまで最も利用してきた書店は、東京の超大型店舗の一つ「紀伊國屋書店新宿本店」です。ラインナップが充実しており、時に書店員さんの愛のこもった手作りポップで棚が展開されているなど、これまでに数々の名作との出会いをもたらしてくれました。

また、初めて訪れる地域の書店も魅力的です。同じ系列の書店であっても、地域が違うと、全く異なる景色を目にすることになります。その地域を舞台にした、いわゆる「ご当地小説」が大きく展開されていることもあり、この書店に訪れなければ出会えなかっただろうな、と思う作品がたくさんあります。

と、ここまで僕の書店愛を語ってきましたが、昨今、書店の閉店が急増しています。久しぶりに書店を訪れると、知らぬ間に閉店していたこともあります。本当に寂しい限りです。

Amazonを筆頭に、ネットショッピングが普及した影響で、リアルな店舗に訪れる方が少なくなっているのかもしれません。電子書籍の普及も関係していると思います。もちろん、それらが悪いわけではありません。ネットショッピングも電子書籍も非常に便利で、僕も利用しています。しかし、実際に書店に行くことでしか出会えない本や、出会えない光景があるのも事実です。手作りのポップやご当地小説の大展開など、それぞれの書店に特色があります。小説推しの店舗もあれば、ビジネス書推しの店舗、漫画推しの店舗もあるのです。書店特有の色を味わうこと、そして、偶然の本との出会いは、実際に店舗へ足を運ぶこと以外では体験できません。無力な僕に、この問題の解決策はありません。しかし、書店という文化を守るためにも、どうにか模索していきたいと思っています。

書店は素晴らしい場所です。書店のおかげで『白夜行』と出会い、僕は読書が好きになりました。そして、今のような活動ができています。

感謝の気持ちを持って、これからも書店で本を買い続けようと思います。

おわりに

小説に変えてもらった人生だな、とつくづく思います。

これまで読んできた小説があるから、いまの僕がいます。この活動が続けられているのも、すべて小説があってのことです。

本書が刊行できたのも同じです。僕を「読書の沼」に引きずり込むほどの作品があったからこそ、この一冊を刊行することができました。

紹介した88冊の中で、気になった作品があれば、積極的に読んでもらえると嬉しいです。きっと素敵な読書体験になります。そして、いつの間にか、あなたも「読書の沼」へと引きずり込まれているはずです。もともと読書好きの人には、さらに深い沼が待ち受けています。

正直なところ、紹介したい作品はまだまだあります。

本書で紹介した作品は、「まずはこの88冊」として選びました。今後のＳＮＳ投稿でも、「読書の沼」に引きずり込む小説を紹介していくつもりです。いつも動画を観てくださっている視聴者の方はもちろん、本書で僕のことを初めて知ったという方も、次に読む小説に迷ったら、ぜひ「けんご@小説紹介」の動画を観てください。必ずや、新たな物語との出会いのきっかけになってみせます。

ここからは、読者の方へのお願いです。

僕のようにSNSで小説紹介をしてほしい、とは言いません。だけど、無理のない範囲で、小説の魅力を周りの人にも伝えていただけないでしょうか。自分が好きだと思う小説を、家族や友達、SNSで繋がっている人などに伝えていただけないでしょうか。

「面白かった」「感動した」「怖かった」「泣けた」「キュンキュンした」

たった一言だけでいいのです。難しい言葉は必要ありません。上手く感想を伝える必要はありません。本を読んで率直に抱いた感想を、たった一言伝えるだけで、「読書の輪」が広がる可能性があります。直接の言葉でも、SNSの文章でも、手段はなんだっていいのです。

世の中にある、たくさんの素敵な物語が、あなたのお気に入りの一冊が、より多くの人に届くことを願っています。

最後に、本書刊行にあたって、ご協力いただいた方々に謝辞を。
88冊それぞれの著者の方々、掲載を許諾してくださった各出版社様、インタビューを快く引き受けてくださった東野圭吾さん、対談で様々なお話をしてくださった凪良ゆうさん、素敵なイラストで本を彩ってくださったイラストレーターのｔａｍａ5さん、担当編集の金城麻紀さん、そのほかにもたくさんの方のご協力によって、無事に刊行することができました。本当にありがとうございます。このお礼は言葉だけでなく、今後の活動でもお返しさせてください。

小説が、読書が、本が、僕は大好きです。

2024年5月

けんごの小説紹介

読書の沼に引きずり込む88冊

2024年5月28日　初版発行
2024年6月20日　再版発行

著　者　けんご
発行者　山下直久
発　行　株式会社KADOKAWA
〒102-8177　東京都千代田区富士見2-13-3
電話0570-002-301（ナビダイヤル）
印刷所　TOPPAN株式会社
製本所　TOPPAN株式会社

本書の無断複製（コピー、スキャン、デジタル化等）並びに
無断複製物の譲渡および配信は、著作権法上での例外を除き禁じられています。
また、本書を代行業者等の第三者に依頼して複製する行為は、
たとえ個人や家庭内での利用であっても一切認められておりません。

●お問い合わせ
https://www.kadokawa.co.jp/（「お問い合わせ」へお進みください）
※内容によっては、お答えできない場合があります。
※サポートは日本国内のみとさせていただきます。
※Japanese text only
定価はカバーに表示してあります。
©kengo 2024 Printed in Japan
ISBN 978-4-04-683381-5　C0095